TOEN IK JOU WEER ZAG

Anke de Graaf

Toen ik jou weer zag

Eerste druk in deze uitvoering 2006
Eerder verschenen in 1965 in de Sneeuwbalserie, Uitgeverij Kluitman

NUR 344
ISBN 90 205 2779 7

Omslagillustratie: Herry Behrens
Omslagontwerp: Van Soelen, Zwaag

HOOFDSTUK 1

Sinds mijn ouders zich teruggetrokken hebben in een klein dorpje aan het IJsselmeer, omdat mams de drukte zo zat was en paps de stilte zo minde, woon ik bij Nan en Jaap.
Nan is mijn zus, Jaap is haar man, en hun kinderen die ik nog niet genoemd heb, heten Hans en Jetske. Hans is elf jaar. Hij heeft heel donkere, glanzende ogen en zwart haar. Het is een leuk joch, Jetske is zeven. Een echt kattenkopje. Precies Nan van vroeger.
Het is heel gezellig bij Nan en Jaap. Ze bewonen een ruime, mooie woning aan de buitenkant van de stad. Het is er wel druk, maar daarvoor woon je tenslotte in Amsterdam. De auto's razen zonder ophouden voorbij. Overdag en 's nachts. De volhoudende, doorzettende chauffeurs rijden tot twee uur in de nacht en om kwart over twee beginnen de snellers, de vroeg-oppers, de 'wie voor is wint'-mensen. En van twee uur tot kwart over twee passeert een enkele extra latert of een extra vroegert.
Maar we wonen er toch heerlijk en ik heb het er best naar mijn zin. Jaap heeft met zijn broer een zaak, ergens in de binnenstad en hier in huis merken we daar niet zoveel van. Alleen weer duurdere stoelen en dikkere vloerkleden als het goed gaat. En een maart pakje voor Nan en een mei pakje. Dat is een heel verschil. Een maartpakje is nog wollig en warm, een mei pakje is licht en dun.
Minder met geld bedeelde mensen spreken over een voorjaarspakje en ik, arme studente zonder inkomen, ik hijs een vest over een zomerjurk en ik voel me ook gelukkig. Maar Nan heeft, dankzij de zaak in de binnenstad dus, twee pakjes in het voorjaar. En Jetske loopt vanaf april op witte schoentjes, want dat vindt Nan zo deftig en keurig staan. Elke avond staan er

twee paar schoentjes te drogen in de keuken. Lagen wit op wit.
Als het even kan ga ik in het weekend naar huis. Naar het kleine, knusse huisje langs de dorpsweg, waar vader praat met de fruitkweker over schurftafzet op de appelbloesem, als moeder in het zonnetje op het grasveldje zit te breien en waar we samen in de vallende schemering een wandeling maken over de oude zeedijk. Aan de ene zijde klotst het water van het IJsselmeer zonder ophouden tegen de grote, donkere stenen. Klots... klots... klots. Het is een heerlijk geluid, dat ik 's avonds, in mijn bed onder het schuine dak, nog hoor.
Aan de andere kant van de dijk is het wijde polderland. Met in de verte de kerktorentjes van Venhuizen en Hem, met pinkelende lichtjes langs de rijweg, het geluid van rammelende melkbussen, ginds bij de boerderij in de diepte en het blaffen van een hond.
Het is er zo heerlijk! Een verademing na een week in Amsterdam. Maar dikwijls heb ik zoveel te doen, dat ik de uren in de trein en in paps moestuintje niet kan missen. Dan breng ik de zaterdagmiddag en -avond door op mijn kamer bij Nan en Jaap. Gebogen over boeken, vellen tekenpapier, potloden en stiften.
Als Nan en Jaap dan uitgaan (Jij blijft toch thuis, hè Ine?) zit ik tot een uur of elf boven. Maar als ze zelf visite hebben, gezellige visite natuurlijk, sluit ik om tien uur de boeken en dan laat ik me naar beneden zakken. Ik kijk vreselijk vermoeid, rol me op in de bank, strijk even zorgelijk langs mijn ogen en dan laaft Nan me met koffie, slagroom en gebak. Ik luister genietend naar de gesprekken rond de salontafel.
De leukste visite vind ik Stella en Wim. Stella is blond, een beetje mollig en ze vindt zichzelf een keurig mevrouwtje. Dat is ze ook wel. Wim is lang en mager. Hij heeft stijl haar, een te grote neus en hij trekt met

zijn mond. Zenuwen, denk ik. Want Wim heeft ook een zaak, personeel en belastingpapieren.
Op een zondagavond, nu een paar maanden geleden, waren Stella en Wim even langs gekomen.
Het was in de tijd die men zo graag het prille voorjaar wil noemen, maar die in werkelijkheid gewoon een verlengstukje van de winter is. Het was dus maart. Nan had al een pakje gezien bij Kraus en Vogelenzang.
Ik keek over de vruchtencake, die Nan als een smakelijke hoop deeg vermengd met bruinbrood spul in de oven had gedaan en die er verrukkelijk en knappend uit was gekomen, naar Wim Jansen. Hij zat heerlijk weggedoken in de diepe, goedgevormde stoel, want ik zei het al, het ging Jaap goed in het leven. Trouwens, Wim ook. Ik dacht aan zijn groot, licht winkelpand aan de Amstelveense weg, de zonnige, moderne woning daarboven, de auto, die nu voor onze huisdeur stond te wachten, de vakanties, welke de echtparen samen in Spanje of Italië...
En precies op dat moment kreet Wim: „Kamperen! Zoals vroeger, in een tentje met stro onder het grondzeil en een dikke, grijze deken om je in te rollen!"
Ik schrok vreselijk, 't vruchtengeval viel uiteen en wiebelde angstig op het schoteltje (ik geloof toch, dat Nan het beslag te slap had, het deeg zat niet stevig genoeg om de stukjes appel heen) maar ik hield het geheel gelukkig binnen de goudomrande perken van het bordje.
Wim was na de explosie vermoeid voorovergezakt in zijn stoel. Hij boog zich diep over het wollig-dikke-vloerkleed, als zag hij nog een tentstokje in de grond steken, dan hief hij zijn hoofd weer op, wreef in zijn handen en zei: „Weet je nog, Jaap..."
Jaap, mijn zwager, wist het nog. Hij lachte gelukkig. „Ja, jongen," mijmerde hij, „en weet jij nog, die zomer op Texel..."

Toen had Nan al iets moeten ontdekken. Jaap was per slot van rekening haar man, haar echtgenoot. Ze kende hem zo door en door, zei ze altijd. Maar ze zag niet in de manier waarop hij in zijn vruchtengebak rondprikte, dat hij zich voor zijn sheltertje waande. Met een zuurkoolstamppot op een blikken bordje in het gras. En de manier waarop hij het lepeltje uit zijn koffiekopje nam en het op zijn schoteltje kletterde; alsof het een tentharing was!
Nan had toen moeten beginnen over kletsnatte, modderige campings, een draaiende, harde wind recht op de tentopening en ze had met Stella moeten jubelen over de zon in Italië, het blauwe Gardameer, de frisse hotelkamer, de rode rozen langs het muurtje.
Maar ze zagen het gevaar niet. Ze trokken hun strakke rokjes een beetje verder over de knieën, pikten in de cake en lachten liefjes naar hun echtgenoten. Och, het was ook wel zo, Wim en Jaap waren al vrienden vanaf de schoolbanken en ze zaten zo graag samen in het verleden.
Dikwijls fietsten ze in gedachten weer van Bergen-Binnen naar zee (en het noodweer, dat toen zo onverwachts boven hun hoofden losbarstte, zien wij al ver van tevoren aankomen), ze speelden indiaantje in de grote tuin achter Wims ouderlijk huis of ze zaten, zoals nu, samen in een tentje aan het strand. In korte broeken.
„...en dan tegenwoordig," kwam Wim terug in de wereld van vandaag, „met je kinderen in een hotel! Verschrikkelijk! Voor de kinderen moet het ook vreselijk zijn. Wat horen ze de hele dag? Veeg niet aan de trapleuning, denk om de tafelpoten, schreeuw niet, zeg niet dat je het eten..."
Daar keek ik toch even van op. Maandenlang hebben ze niet anders gejubeld dan: „O, het was zo heerlijk in Italië! Ook voor de kinderen. Spelen en zwemmen in

de zon en in het water. De hele dag buiten en ze sliepen 's avonds als rozen. Na een maaltijd van spaghetti of macaroni, waar ze dol op waren!"
En nu dit. Ik nam een slok koffie voor de schrik.
„Je hebt gelijk," zei Jaap heftig knikkend, „onze jongens leren niet kamperen, zich behelpen, vrij zijn, zwerven..." Hij hapte zonder proeven in de cake (dat was eigenlijk zonde) en tikte driftig de as van zijn sigaret in de asbak.
„Opgeprikt in een eetzaal zitten te wachten tot iemand hen bedient. Ze kunnen zelf nog geen aardappel schillen!"
„Wind je niet op," zei Nan. Ze stond op uit de diepe stoel met de rustgevende ruglijn en tripte op slofjes (naaldhakken zijn ook voor mijn zus in haar eigen huis verboden) naar de doorgeefkast om een nieuwe voorraad koffie te halen.
„En ik zeg je," riep Jaap uit, „dat het voor de kinderen heerlijk zou zijn! Kamperen!" Hij strekte zijn armen lang uit. Als een kind dat jubelend Sint Nicolaas begroet. Hoera! Nu worden alle wensen vervuld!
„En de moeder van het gezin maar ploeteren!" riep Nan door het doorgeefluik.
Ik vind doorgeefluiken reuzehandig. Vroeger kon de visite even vlug iets zeggen, over een spinnenwebje boven de haard of over het japonnetje van de gastvrouw, waarvan ze: „O, wat een schatje!" hadden gezegd toen zij de deur wijd en gastvrij voor hen opende, maar waaraan ze, als zij naar de keuken holt om nieuwe spijzen en dranken aan te slepen, vlug naar elkaar sissen:
„Wat maakt die jurk haar dik!" Die tijd is nu voorbij. De gastvrouw luistert aan het doorgeefluik. En ze zeggen niets. Ik wil later ook een doorgeefkast.
Ja, als ze weg zijn, op straat. Dan zullen ze het toch zeggen. Maar dat hindert niet. Als ze het maar niet

doen terwijl jij met dure koek en slagroom...
Nan luisterde helemaal niet. Ze gilde door: „Aardappelen koken op een primus en..."
„Ja," viel Stella haar lachend bij, want ze dachten heus nog dat het allemaal een grapje was van de mannen, „water halen bij een pomp en afwassen in het gras."
„Jij had een jasje, weet je nog Wim," droomde Jaap verder, zonder de opmerkingen van de vrouwen ook maar enige acht te slaan, „een zwart jasje. Je jackie. Er zaten wel tien zakken in. We konden altijd alles vinden. Want alles zat in jouw jaszakken. Lucifers, muggenolie, een blikopener, een potlood, een touwtje en..."
Ze herdachten met liefde en weemoed het jackie.
Nan was teruggekomen met de koffie. Ze plaatste de kopjes op de lange, gladde salontafel. We glimlachten naar elkaar, Stella, Nan en ik. Die mannen toch.
„Ik zie mijn zoon al," Wim keek weer naar het vloerkleed, dat kennelijk inspirerend op hem werkte. Hij zag er grassprietjes en zandkorrels in, tentstokken en grondzeilen. „Bert op blote voeten op een camping. De tent spannen en een kuil graven om de flessen in te zetten. Weet je nog, Jaap, zo hielden we de melk koel. In een gat in de grond. Liefst onder de bomen. Zoals toen in Drenthe. Onder de dennen."
„Kwam er geen dennensmaak aan die melk?" vroeg Nan bezorgd, maar Jaap schudde geruststellend zijn hoofd. „Heerlijk frisse melk was het," wist hij nog, „we haalden elke dag twee flessen bij een boer."
Na de koffie kwam de wijnfles op tafel. En tonic met een tik, blokjes jonge kaas en zoute stengels.
De mannen spraken nu over 'toen, op het landje bij boer Ardenaar' en, weet je nog, 'op het weitje bij La Roche'. Hun ogen straalden steeds dieper.
Bij het tweede glas zongen ze het lied van verlangen en heimwee naar hun tent.
„Hij was oranje," Jaap snikte bijna, „en we hadden een

los grondzeil. De zijslippen van de tent waren te kort en mieren en pissebedden kropen zo bij ons binnen. Het was heerlijk!"
Hij schudde zielig met zijn hoofd. Hij nam een flinke slok wijn. Hij moest flink zijn, het was voorbij, voorgoed voorbij.
Bij het derde glas begon Wim over Mieneke uit de blauwe tent op de camping in Esch en over het blonde meisje, toen in Domburg en…
„Zo'n camping is één grote familie," legde Jaap ons uit. We knikten. Ja, dat hadden we al begrepen. Nan keek even schuin naar mij. Mieneke en het blonde meisje… Maar Stella meende dat, als je in zo'n slap, akelig stofdoekenhutje moet huizen, je je dan ook aan elkaar gaat vastklampen. Je zoekt steun en troost en medeleven. Gedeelde smart is halve smart. Helpt elkander en draagt elkanders lasten. Ik zag Nan glimlachen naar Jaap. Maar hij keek vaag langs haar heen.

Toen Stella en Wim in de grote van de trottoirrand waren weggesuisd, zette ik de kopjes, schoteltjes, glaasjes enzovoorts in elkaar om ze naar de keuken te brengen. Nan twinkeleerde daar al boven de zeepsopgootsteenbak.
„Heb je nog met Wim over die nieuwe tunnel door de Sint-Bernhard gesproken?" riep ze door de doorgeefkast. „Het scheelt naar Italië uren en uren rijden over de bergen."
„Nee kindje, nee," Jaap lag languit op de bank. Zijn voeten staken ver over de armleuning. Ik zocht pinda's van het vloerkleed.
„En je zou er vanavond met Wim over praten," kwam Nans stem weer vanuit de keuken.
„Ja kindje, ja," zei Jaap nu.
Ik keek even naar hem. Zijn ogen waren strak op het plafond gericht. Hij zag niets.

De volgende morgen, maandagochtend dus, stond Nan in een zeer flauw ochtendgloren voor mijn bed te schreeuwen. Ze was nog in haar ochtendjas, haar haren dansten losjes en ongekamd om haar hoofd en het was niets voor mijn zus om zo (en op dit uur) voor mijn bed te staan gillen.
„We hebben gisteravond nog zo'n drukte gehad!" tetterde ze aan mijn oor, „Ine, hoor je me?!"
„Ja," zei ik beheerst, klaar wakker nu. Ik dacht onmiddellijk aan de traploper, die was los geschoten en met Jaap en al in de hal was afgedaald. Jaap lag nu in het ziekenhuis. Of de badkuip was overgelopen en in het water dreef...
„Ja, want Jaap wil kamperen!" riep Nan, nu ze mijn ogen zo wijd open zag.
„Hij is niet wijs!" riep ik heel hard terug en ik schoot meteen overeind tussen de dekens. Nan zweeg vermoeid op de stoel voor mijn bed. Onze ogen ontmoetten elkaar.
„Zie je wel," zuchtte Nan, „dat zei ik ook al: hij is niet wijs. Maar heus, Ine, we hebben tot halfdrie zitten praten vannacht en Jaap wil en zal kamperen. En niet voor hemzelf hoor, dat moet je niet denken, het is voor de kinderen." Ze keek bepaald tragisch.
„Hans moet aardappelen leren schillen. Daarvoor moet je juist in een tent zijn, nu vraag ik je! Maar Jaap zegt: hier thuis doet hij het niet. En hij moet water halen. Jetske maakt de bedden op en ze leert zich behelpen. Weet jij hoe je zo'n kind dat leert: zich behelpen?"
Ik schudde mijn hoofd.
„Nou, ik ook niet," zei Nan.
We zwegen allebei even. Ik plukte aan de wollen deken en Nan schoof met haar blote tenen over het vloerkleedje.
„Je moet het Jaap uit zijn hoofd praten," stelde ik rustig voor. „Jullie heerlijke vakantie in Italië! Een prach-

tig hotel, altijd zon, geen zorgen voor het eten en drinken en zalig zwemmen!"
„O, hou op alsjeblieft!" Nan begon zowaar te snikken. „Als ik dan denk aan een tent en regen en vieze kinderen en eten in een steelpannetje..."
Ik zweeg. Toen ik bij Nan en Jaap introk had mams gezegd: „Ine, luister goed naar me. Meng je nooit in belangrijke momenten van hun huwelijk."
Dit was een belangrijk moment. Ik zweeg dus. Maar Nan snikte door. En ze was per slot van rekening mijn zus.
„Huil niet," zei ik daarom flink, „Hans en Jetske trippelen al op de gang. En wie weet hoe heerlijk die kinderen het zouden vinden: met een tent eropuit trekken! Je moet er ook de zonzijde van zien. Het plezier van je man, de vreugde van je kinderen..."
Nan stond op. „Jij bent ook gek," zei ze. Ze zwabberde met de ochtendjas om haar benen mijn kamer uit.
Maar toen ik nog even heerlijk onder de dekens wilde kruipen om wat bij te komen, was ze alweer terug.
„Je zei dat, van de kinderen," ze ging weer op de stoel voor mijn bed zitten, „maar de kinderen zijn heel belangrijk in dit geval. Ik bedoel niet, hoe ze kamperen vinden, want ze genieten meer in Italië. Dat staat vast. Daar is zon, water en warmte. Nee, ik bedoel: het gaat erom wie en hoe het Hans en Jetske verteld wordt van die tentbevlieging van Jaap."
Daar zat iets in. Ik knikte dan ook overtuigend. Jaap zou Hans na drie zinnen al laaiend enthousiast hebben voor een sheltertje. En Jetske... Met water kliederen en je niet steeds behoeven te wassen en te verkleden...
„Weet je wat," Nan is een vrouw vol impulse neigingen, „ik ga het ze meteen zeggen." Ze rees al op.
„Nee, nee!" ik viel bijna uit mijn bed om haar aan een nylonochtendjasslip terug te trekken, „dat moet je niet doen. Denk er eerst over na. Je moet deze kwestie

even rustig bekijken. In het dikke boek over pedagogie, dat op je schrijftafeltje ligt, staat toch dat je nooit een kwestie met je man over de hoofden van je kinderen uit moet vechten. Dat heb je laatst nog voorgelezen. Toen met die drukte over hen wel of niet meenemen naar de bruiloft van oma en opa Gravensteyn. En dit is net zo iets."
Nan zei niet eens: Dit is geen bruiloft, Nan zuchtte: „Jij bent verstandig. Maar wat moet er dan gebeuren? Ik ben niet van plan onze heerlijke buitenlandse reizen op te geven."
„We moeten er goed over nadenken," zei ik.
„Dus jij staat aan mijn kant?" Er kwam toch iets van hoop en vertrouwen in Nans ogen.
„Niet dat ik kamperen zo vreselijk vind," zei ik fier, „ik heb er geen verstand van. Maar jou, als mijn zuster, zeg ik mijn steun toe."
Nan strompelde dankbaar naar de badkamer.

HOOFDSTUK 2

's Avonds jubelde Jaap, ik speelde juist om het bezit of verlies van mijn vingers met een scherp mes en een stuk oude kaas: „In de RAI, de grote, hele grote RAI", hij keek verrukt van Hans naar Jetske, „is een grote tententententoonstelling!!" Ze wipten al op hun stoelen.
„Gaan we erheen, pap?" vroeg Hans blij. „En mogen we dan in alle tenten kruipen? Gerrit Bakker zegt dat er ook boten zijn. Grote kruisers en jachten."
„Ja, die zijn er ook," antwoordde Jaap, wiens hart niet naar de woelige baren trok, „maar wij gaan naar de tenten kijken."
Jetske keek op de klok. „Nu direct?" vroeg ze. Ze legde haar vorkje neer en wilde haar stoel achteruit schuiven. Zie je wel, dacht ik, Jetske heeft veel van Nan. Soms vreselijk impulsief.
„Nee, morgen," stelde Jaap het feest in een niet te verre toekomst, „morgenmiddag wordt de tentoonstelling geopend en dan gaan wij er morgenavond heen. Je zult eens zien, Nan," hij durfde nu pas naar haar te kijken en heel flauwtjes te glimlachen, „je zult eens zien wat een kastelen van tenten er staan. Met grote slaapruimten, woongedeelten met ramen en zonneluifels."
Nan at zwijgend haar ei en knikte slechts.
„Bij Thea Lenters thuis hebben ze ook een grote tent," jubelde Jetske nu, „met een zeil op de vloer en een kastje met ritssluitingen. „Thea zegt dat het heerlijk is in een tent. Als het waait is het zo leuk en als het regent ook. Ze hebben stoelen die je zo in elkaar kunt kreukelen en ze hebben ook een kreukeltafel."
„De vader van Jos Kramer heeft een vouwwagen gekocht, paps," begon Hans nu ook los te komen, „Jos zegt dat in één tel hun hele zomerhuis staat. Klep omlaag, trek aan het doek en klaar is het."
„Dat alles kun je in de RAI zien," lachte Jaap mild naar

zijn enthousiast kroost, „van alles is er! Boten, caravans, tenten, vouwwagens...”
„O, wat enig!” juichte Hans, „en koopt u dan ook een tent? Gaan wij ook kamperen? Hebben ze ook kleine boten? Of rubberboten, die je op kunt blazen en waar je heel ver mee kunt varen en die toch niet duur zijn?”
„Koopt u een caravan, paps?” Jetske zat te wippen op haar stoel, „vorige week stond er een op het plein. Die had zulke leuke raampjes! En echte gordijntjes voor het glas en rode sluitgordijntjes. We hebben erbinnen gegluurd. We stonden op Linda's fiets. Zo leuk daarbinnen! Een tafeltje en bankjes met kussens en een kraantje boven een afwasbakje. Ja, paps, koop een caravan!”
„Nee,” zei Hans, „een tent! Dat is veel gemakkelijker. Die rol je op en stop je in de auto. Dan kun je heel ver weg gaan. Wel naar Italië! En dat is beslist niet zo duur als in een hotel. Paps, op een camping aan het Gardameer!”
„Zie je nu,” siste Nan tien minuten later onder het afwassen, ze had de doorgeefkast goed gesloten, „nu is Jaap ons een slag voor. Hij heeft de kinderen al gek gepraat over kamperen. Hans hangt bij hem op de bank en Jetske speelt al tentje onder de tafel. Het tafelkleed is de zonneluifel.”
Ik droogde de bordjes.
„Jaap had het over tenten met slaapkamers en keukens,” zei ik. „Heb je dat wel gehoord? Hij wil kamperen zoals men tegenwoordig kampeert. In een tent waarin je rechtop kunt lopen en met een slaapafdeling voor de kinderen, een bagageruimte, een zonnehoek en weet ik veel. Maar zo'n tent moeten jullie niet hebben. Het moet zo iets zijn als vroeger. Daar trekt zijn hart toch naartoe? Klein. Kruipend erin en sluipend eruit. En Jetske moet leren bedden opmaken, zegt Jaap. Dus geen slaapzakken. Dan leert het kind nog

niet iets te doen, zich te behelpen." Nans ogen lichtten op.
„En er moet geen woongedeelte zijn," ging ik verder, „Wim en Jaap kookten toch altijd buiten, in het gras? Dat ging prima, zegt Jaap. Het eten was altijd zo klaar. Dus daar zorgt hij voor. Buiten. Geen kooktoestel op een bijpassend tafeltje, geen gasstel dat heet en goed brandt onder twee pannen, maar alles primitief. Zo primitief mogelijk. Jaap weet er alles van en de kinderen moeten het leren. Dat moet je Jaap voor ogen houden."
Nans ogen glansden nu. Ze keek schichtig naar de keukendeur. „We gaan er een vreselijke grap van maken!" fluisterde ze opgewonden, „Ine, jij gaat mee naar de RAI, we zoeken een akelig laag tentje uit en..." Verder kon ze van de zenuwen niet komen. „En zo'n tent kan Jaap toch altijd na een paar dagen verkopen!" juichte ze er gesmoord achteraan. We lachten ingehouden boven de al schone en nog vuile kopjes.
Jaap keek wel even verwonderd (hoewel hij het meesterlijk verborgen wist te houden) toen Nan en ik die dinsdagavond zo genoeglijk achter in de auto kropen. „Als ik jou erover hoor praten," had Nan met een zucht en een blik op de donkere lucht buiten gezegd, „dan ga ik ernaar verlangen. De wijde natuur, een kabbelende beek en dan een tent aan de oever. Vrij! Helemaal vrij! Geen mens om je heen, geen auto's, geen radio's! Je wassen in het frisse water, zitten in het groene gras..." Jaap glimlachte. Hans en Jetske stompten elkaar op de voorbank.
Het parkeerterrein bij de RAI stond al behoorlijk vol, het begon zacht te regenen, we moesten een heel eind lopen en toen we eindelijk, nat en huiverig, door de grote deuren het tentoonstellingsgebouw binnenkwamen, stortte Hans zich onmiddellijk de trap af en de grote Europahal in naar de boten. Jaap rende achter

hem aan en Jetske gilde: „Mams, kijk daar, caravans! Laten we een caravan kopen!" en ze spoedde zich in de richting van Leghorns en Barnevelders.
Ik bleef bij de treden wachten.
Toen de familie weer bijeen was sprak Jaap streng: „Luister naar mij. We blijven bij elkaar, hoor je me, Hans, Jetske, anders gaan we zo weer naar huis."
„Zonde van het geld," meesmuilde Nan, die in gedachten al besloten had alle kosten van het kamperen op te schrijven. Omdat Jaap zei dat kamperen zo goedkoop was. We marcheerden in de richting van de tenten.
Er waren knotsen van tenten bij. Jaap stapte met de zelfverzekerde tred van iemand die er alles van weet, een grote, oranje tent binnen. Wij volgden hem op eerbiedige afstand.
De standhouder, die met kennersblik een toekomstig tentbezitter in Jaap zag, snelde op ons toe. Jetske lag al in de slaaptent. Ritssluiting dicht. „Het doek is te dun," berichtte ze, „ik kan Hans hier horen ademhalen."
„Het is maar een binnentent, jongedame," legde de verkoper uit, „de buitentent is van KS 202," en hij begon een verhandeling over tentdoek en tentdoek. Jaap luisterde aandachtig en knikte, Nan liep om de tent heen en loerde door het muskietengaas naar binnen. Hans hing aan de verstelbare noklat en Jetske lag nog steeds in de slaaptent. Ze zuchtte diep. „Kunt u mij verstaan?" riep ze om de drie tellen als een noodzendertje, „kunt u mij verstaan?"
„Het is een prachtige tent," Jaap (hij kon rechtop in het woongedeelte lopen) keek goedkeurend om zich heen, „Ine, hoe vind jij deze bungalow?"
Ik keek minachtend. „Het is inderdaad een bungalow," zei ik, „maar het is geen tent. Geen tent om echt in te kamperen. Hij is te groot, vind ik." Nan stapte nader-bij.

„Wat vind jij ervan?" vroeg Jaap, toch een beetje geschokt door mijn zienswijze.
„Leuke tent," Nan schopte tegen een schering, „maar niets voor ons. Wij willen echt kamperen." Ze lachte ontwapend naar de standhouder. Zijn mond viel een weinig open.
We draafden langs dag- en nachtluifels, gescheiden slaapcabines, binnen- en buitententen, aanbouwbare keukens en luifelwippers.
Als Jaap, Hans en Jetske verlangende stappen deden in de richting van de tentopeningen, zeiden Nan en ik: „Te groot! Veel te groot!" en we renden verder.
We kwamen bij de kleine tenten. Leuke, lage dingen. Echte tenten. „Zoals vroeger," Nan gaf Jaap even een arm en leunde tegen hem aan, de schooier, „gaat je hart nu niet open?" Ze keek hem stralend aan.
„Maar we hebben een gezin, kindje," weifelde Jaap, „we hebben meer ruimte nodig dan Wim en ik vroeger nodig hadden."
„Natuurlijk," gaf Nan direct toe, „vroeger hadden jullie een tweepersoons dwarsslapertje en nu moeten we een vierpersoons tent hebben. Of nee, Ine gaat ook mee, want kamperen kost niets, dus dat kan ze wel betalen, een vijfpersoons tent met een brede windluifel. Het Berenhol. Vijf personen, las ze van een wit bordje, „zo iets moeten we hebben." Ze hurkte voor de opening.
Het was beslist een gezellige tent. Een flinke ruimte, zonder aparte slaaphokjes en een vast, stevig grondzeil.
„Dat is heerlijk," meende Jaap, „een vast grondzeil. Geen tocht, geen vocht, geen ongedierte." Wij knikten. Eigenlijk had ik willen beginnen over de dieren van het bos en het vrije veld, die zo gezellig en gastvrij onze tent binnen moesten kunnen lopen. Eén met de natuur zouden we zijn, als vrienden met de dieren omgaan en

we zouden dat aan de kinderen leren. Kevertjes en mieren, mensen en pissebedden verenigd op één grasveld. Eigenlijk hun grasveld.
Maar ik dacht: stel je voor dat Jaap echt zo'n tent koopt en dat ik erin moet slapen. Dan is het toch wel lekker, een vast grondzeil. Ik zag dat Nan hetzelfde dacht. Ze knikte even naar me.
„Laten we er allemaal eens in gaan zitten." Jetske schopte haar schoentjes al uit, „kom, Hans!" Hans trok aan zijn veters. Jaap parkeerde zijn stappers onder de luifel.
We zaten in een kringetje. Als kleermakers op de grond. De handen in de schoot.
„Een paar klapstoeltjes," begon Jaap, hij dacht toch nog steeds aan het moderne comfort en gerief, maar ik zei meteen: „Hè, nee, dat is niet echt kamperen! Je vertelt altijd dat jullie op de grond zaten te eten. Met één lepel voor de groente, de aardappelen en de pap. En de kinderen moeten het zo leren. Zoals jij, hun vader, het vroeger deed. Dat is enig!"
Nan knikte instemmend. Jaap zweeg. Jetske kroop op haar knieën de tent rond. Ze zong: „Groen is gras, groen is gras..." Hans stak zijn hoofd door de ritsopening.
„Wat moet jij daar!" riep toen een krachtige stem voor het Berenhol. Het jong trok ijlings zijn kopje in de veilige ruimte en zocht troost bij zijn moeder. Jaap gluurde door de spleet.
„We bekijken de tent, meneer," zei hij. Hij trok de rits verder open en kroop over de RAI-vloer tot aan des standhouders smalle, zwarte schoenen. Het gezicht van de man, hij was nog jong, vreselijk jong, hij had heel blauwe ogen en een klein baardje, zijn gezicht klaarde onmiddellijk op. Hij keek met verbazing toe hoe Nan, de kinderen en ik ons naar buiten wrongen.
„Er zit enorm veel ruimte in dit ding," zei hij prijzend,

„het is een heerlijke tent. Voor een paar jongens bijvoorbeeld." Hij blikte nu warm naar Hans, in wie hij een kloek trekkertje zag. Hans rolde zijn kniekousen al op. Maar Nan lichtte toe: „Het is voor ons hele gezin. We houden van echt kamperen. Ons behelpen. Trekken met zo weinig mogelijk bagage. Drie handdoeken en wat eetgerei."
„O," de jongeman slikte, „dat hoor je tegenwoordig niet veel. Vooral van de dames niet. Ze willen een grote tent met het comfort van thuis. Een keukentje en een zitkamertje en een zonneterras."
„Zo zijn wij niet." Nan stond stoer met de handen in de zakken van haar korte jasje. „Gemak en vrijheid gaan bij ons voor alles. En mijn man is een ervaren kampeerder." We keken allemaal trots naar Jaap.
„Toe vader," bedelde Hans, „vertelt u meneer eens van uw tocht langs de Maas!"
Maar Jaap voelde er niet voor. „Nu niet, jongen," zei hij kort.
Naast het Berenhol, op de donkere, warme vloerbedekking, stond een klein tentje. De Muizenval heette dat ding en ervoor zat, gehurkt en met een heel ernstig gezicht, een lange, donkere jongen. Hij tuurde aandachtig naar de gesloten rits, alsof hij berekende hoeveel vierkante decimeters grondzeil zich daarachter zouden bevinden, maar ik wist dat hij in werkelijkheid ons gesprek voor het Berenhol aandachtig volgde.
„Ine," vroeg Jaap, ik voelde donkere ogen op me gericht, „wat vind jij van deze tent?"
„Het is een heerlijke tent!" jubelde ik, „en ruim genoeg voor ons. Eenvoudig, praktisch en ik vind hem mooi om te zien. Echt een tent!"
Ze knikten om me heen goedkeurend.
„Kopen we deze, pap?" Hans sprong om Jaap heen. En Jetske zei: „Dan nemen we hem meteen mee. Kan dat meneer?"

De meneer zweeg.
„Laten we er nog even over nadenken," meende Jaap, „we moeten vooral geen overhaaste beslissingen nemen."
„Nee, nee," gaf de standhouder, zij het niet van harte, toe, „denkt u er maar rustig over na. En dan zult u tot de conclusie komen dat dit de tent is die u zoekt. Want ik heb het al begrepen: u bent zeer sportieve mensen. Trekkers, die de tent alleen gebruiken om de nachten in door te brengen en om er bij slecht weer een onderdak in te vinden."
„Precies," Nan knikte heftig, „meer een schuilplaats. Een toevlucht."
„Ik wil toch nog even verder kijken," hield Jaap koppig vol. We gingen verder. „Tot straks, meneer!" riep Hans. Voor hem was het pleit al beslecht. En Jetske gilde: „U verkoopt onze tent niet aan een ander, hoor!"
Buiten de gezichtskring van de standhouder bleef Jaap. We verzamelden ons om hem heen. Als opgewonden welpen om de akela.
„We zullen een kopje koffie drinken in het restaurant," stelde Jaap voor, hij keek ons ernstig aan, zijn blik bleef vorsend op zijn vrouw rusten, „en dan moet je heel goed nadenken, Nan, of je toch niet liever een grotere, een comfortabeler tent wilt hebben."
Ik keek in de richting van het Berenhol.
Langzaam naderde, stap voor stap, de donkere man. Hij droeg bruine schoenen met dikke zolen. Ik zag ze over het pad dichterbij komen. Twee bruine broekspijpen erboven. Ze stonden stil.
Ik loerde naar hem. Hij keek naar een bungalowtent. Zonder veel belangstelling overigens. Hij was nu vlak bij ons.
„Het is heel moeilijk," zuchtte Nan. Ze wenkte wanhopig naar me om hulp, dat zag ik vaag, maar mijn aandacht was geheel bij de donkere jongen. Hij drentelde

langs. Hij hief zijn hoofd op, keek me recht aan en glimlachte heel even.
„Meneer!" riep Jetske opeens, ze had hem herkend, „koopt u zo'n klein tentje? Zo'n Muizenval? O, die vind ik zo leuk! Gaat u daar helemaal alleen in kamperen?"
Hij bleef staan.
„Jetske toch!" kreet Nan, maar Jaap, die bij het zien van al die tenten en scheringen weer helemaal in de één grote familiestemming was gekomen, zei: „Och, misschien kan meneer ook moeilijk een beslissing nemen."
„Dat is ook moeilijk." Hij had een leuke stem, sterke, witte tanden en zijn ogen lachten terwijl hij sprak. „Ik zoek een kleine en in gewicht lichte tent, want ik wil trekken met de scooter en dan moet ik daarop alles kunnen vervoeren."
„Ja," Nan knikte begrijpend, ze zag de afgeladen scooter al voor zich staan, „dat moet u wel allemaal even goed overdenken. Je ziet ze weleens rijden met een kroes aan een touwtje achter aan de bagagedrager gebonden, maar dat moet u niet doen. Het rammelt zo."
„Ik heb voorgesteld even een kopje koffie te gaan drinken," zei Jaap, „als ik u mag uitnodigen met ons mee te gaan..."
Zo is Jaap: gastvrij en gemakkelijk. Reizigers die voor de eerste maal bij hem aan de zaak komen om wat aan hem te verdienen, een kersverse typiste op het kantoor die nog wat zenuwachtig is, de man die hij op de Jaarbeurs ontmoette en waarmee hij zo gezellig even zat te praten, iedereen nodigt Jaap uit om een kopje koffie te gaan drinken en een sigaar of sigaretje te roken. Dat doet hij thuis, bij Nan, die zich vreselijk ergert als het toevallig rommelig is in huis, dat doet hij in een restaurant en ook hier, in de RAI.
De jongeman ging mee. Hij stelde zich voor: Frank van

Wissen. Hij zat tegenover me aan het tafeltje in het restaurant.
„Ik vraag me nog af," Jaap, die voelde, dat hij bij ons weinig werkelijke steun vond in zijn tentenkeus-zorgen, Jaap wendde zich nu tot Frank, „ik vraag me nog af, of ik met mijn gezin niet beter een bungalow kan kopen!"
„Nee hoor!" riep Nan nog voor Frank ook maar iets kon zeggen, „we gaan echt kamperen. Zoals vroeger. Hans en Jetske moeten dat ook leren."
„Dan kunnen ze zich later," zei ik, „als ze groot zijn en het leven nog gehaaster en drukker wordt, toch ontspannen." Ik keek heel ernstig. Frank knikte me instemmend van over de tafel toe. Maar ik zag in zijn ogen een vreemd licht glanzen. Loop naar de pomp, dacht ik en ik vervolgde mijn betoog ten gunste van de kruiptent: „Dan kunnen ze zich met een kleine tent, wat kleren, een kooktoestelletje en een deken terugtrekken in de natuur.
Het gras zal eeuwig groen blijven en het water blijft van de bergen stromen. Als ze dan geleerd hebben alles heel simpel en eenvoudig te doen, zullen ze tijd hebben om te rusten en tot zichzelf te komen. Dat willen wij de kinderen leren."
„Wat een heerlijke ideeën!" juichte Frank. „Mijn zus dwaalt hier ook rond. Ze zoekt een bordenkastje voor in de tent en een stofvrij wegzetding voor de overgebleven aardappelen. Ik ben erbij vandaan gelopen!" Hij keek ons stralend aan. Verheugd, dat hij nu in zo'n gezelschap verzeild was geraakt.
Na de koffie wilde Jaap nog even kijken bij de kampeerbenodigdheden. „We zijn hier nu," zei hij glimlachend tot Frank, „en we moeten alles bekijken!"
We namen afscheid. Frank bedankte voor de koffie en zei dat hij het zo gezellig gevonden had, dit praatje met echte, echte kampeerders. Hij wenste ons nu reeds een

prettige, zonnige en dus droge vakantie toe.
We liepen langs veldbedden met dikke schuimplastic matrassen, langs stretchers vol grote, gele zonnebloemen en Jaaps hart ging open. Maar Nan en ik brachten de wensen terug tot heel simpele luchtbedjes. En de donzen, gebloemde en geblokte slaapzakken gooiden we als voddenbaaltjes in een hoek. Een oude, donkere deken: dat was genoeg!
Jaap keek ons af en toe schichtig aan, hij vertrouwde ons niet en hij was geloof ik blij, toen we de RAI verlaten konden.
„Hebben we niets vergeten?" vroeg ik in de grote hal. „Heb je een folder van die Berenholfirma?"
„Nee, nee," bedacht Jaap zich, „Hans, hol jij eens vlug naar die meneer met dat baardje en vraag om een foldertje. De prijs moet erop staan en de levertijd."
Hans verdween tussen de mensen.
„Alstublieft, pap," hij kwam na vijf minuten hijgend en rood terug, „een heel boekje. En Frank koopt vast ook een tent, want hij zat nu in een stoel met de baardman te praten."
Toen we vermoeid in de autokussens zakten (hè, hè, wat een geloop!), viel Nan onmiddellijk tegen Jaap uit: „Jij bent altijd zo familiair! Met zo'n jongen ook, een heel vreemde..."
„Vreemde!" kreet Jaap, hij manoeuvreerde langs de vele koplichten, „zijn tentje staat vlak naast onze tent op Goede Kamp. Dan kun je hem toch moeilijk een vreemde noemen!"
De hele avond en de halve nacht werd er over de tent gesproken. Eerst in het bijzijn van Hans en Jetske, die over de slaap en door 't dolle heen waren en zich onder de tafel teruggetrokken hadden. Dat was het Berenhol. Daar wilden ze hun thee geserveerd hebben. Op de grond. Nan gilde over de vloerbedekking en dat ze toch beslist geen chocolaatjes kregen, daar op de grond.

Jaap bestudeerde de reclamefolder en rekende op een zijkantje de totale kosten uit.
„Tent, luchtbedden, slaapzakken, een kooktoestel... Wat hebben we nog meer nodig?"
„Slaapzakken niet," zei Nan, „streep dat maar door. Maar een paar pannen voor op een primusje wel. En plastic serviesgoed. Meer niet. Hadden jullie vroeger meer mee? Daar moet je steeds aan denken. Vroeger, toen was het zo heerlijk en zo fijn, zoals vroeger, zo willen we eropuit trekken!"
Jaap bladerde in de folder. Nan ging met de kinderen naar boven. „Krijg ik een zonnepakje, mams?" vroeg Jetske. Haar heldere stemmetje klaterde door het huis, „en ik heb laatst zulke leuke slippers gezien voor op een kampeerterrein. Helemaal open. Alleen een bandje hier, over de voet."
„Je kunt wel op blote voeten lopen," zei Nan, „dat is gezond."

HOOFDSTUK 3

De tent werd eind april bezorgd, compleet met tentstokken en scheerlijnen. We, Nan, Hans, Jetske en ik, stonden er in een kringetje omheen toen de expeditieknecht hem met een harde bons op de tegelvloer liet zakken. Jaap was naar de zaak om al werkend en handelend het geld voor deze onwijze aankoop te verdienen.
„Zit hier nu alles in?" vroeg Hans ongelovig. Hij duwde tegen de kitbag. We schudden hem leeg in het halletje en werkelijk, het Berenhol, de stokken en de scheringen, alles zat erin.
Nan en ik hadden een kwartier werk om alles weer in de naar onze mening veel te smalle kitbag te wringen. Hans en Jetske waren inmiddels naar interessanter objecten vertrokken. Toen Jaap thuiskwam, bekeek hij zijn nieuwe bezit met stralende ogen.
Hij schudde, in zijn overjas nog, het hele Berenhol weer op de tegeltjes en bekeek de kleur van het doek, het grondzeil, telde de tentstokken en de haringen en was tien minuten bezig met het opnieuw inpakken van het hele geval.
De maaltijd werd gezellig door de vrolijke gesprekken over zon, vrijheid en bruin worden.
„We gaan plannen maken voor de vakantie," zei Jaap, hij sneed verwoed in de biefstuk rond. „Jongens, waar willen jullie deze zomer heen? Een trektocht langs de Rijn? Of zwerven door België en Frankrijk?"
Jetske koos de zee en het strand, Hans wilde naar Italië. Nan en ik onthielden ons van stemmen. Maar dat viel niet op, want Jaap en de kinderen kwetterden aan één stuk door.
„En het is zo'n heerlijke tent," Jaap glunderde boven de sperzieboontjes, „echt een tent! Ik popel gewoon van verlangen om hem eens op te zetten. Om er eens een

nachtje in te slapen. Jullie niet? Weet je wat, we trekken er in de pinksterdagen op uit! En we kunnen er wel een paar dagen aan vastknopen. De vrijdag voor Pinksteren hebben de kinderen en Ine al vakantie en de dinsdag erna ook. Ik kan het met mijn werk wel plooien en dan gaan we weg uit de stad! We zetten het Berenhol ergens op en we gaan kamperen. Vijf dagen vrijheid en buitenlucht!"
„Laten we maar naar Schellinkhout gaan," zei ik om Jaap te plagen, „als het dan niet goed gaat kunnen we zo naar moeder vluchten."
„Niet goed gaan!" Jaap beende door de kamer, „wat moet er nu niet goed gaan!"
„Ik weet het niet," ik haalde mijn schouders op, „ik heb niet zoveel kampeerervaring. Maar zo'n ding kan toch omwaaien of instorten? Nan, waar zullen we heengaan?"
„Het maakt mij niet uit." Nan hing onverschillig op de bank, „de natuur is overal mooi. Of ik nu in Limburg voor een tent zit of in Overijssel, de bomen zijn groen, de lucht is blauw of grijs en er is niet veel te beleven."
Jaap belde de volgende morgen de leverancier van 't Berenhol om een paar extra scheerlijnen en met die meneer sprak hij over: Er voor 't eerst met de tent op uit trekken.
„U moet niet met de pinksterdagen naar de kust gaan, meneer Gravensteyn," zei de man ernstig, „het is begin juni. De nachten kunnen fris zijn, trouwens, de dagen ook. Zoekt u het liever in Overijssel of Drenthe. Of Gelderland. In de bossen. Beschut tegen de wind."
En toen had Jaap zich over de kaart van Nederland gebogen om een bosrijke omgeving te zoeken. En wij vonden alles goed. Bergen, Hilversum, Bilthoven, Appelscha, Gorredijk, Holten...
„Laten we maar een richting inslaan," dacht Nan, „niet naar de kust, dus over de Afsluitdijk en door Friesland

bijvoorbeeld. We vinden vanzelf wel iets. En we zijn zo vrij; we hebben onze tent mee! Als we geen camping zien zetten we het Berenhol midden in een weiland. Omringd door koeien en de gezonde geur van mest."
Jaap en ik knikten instemmend.
Donderdagavond voor Pinksteren hielden Nan en ik krijgsraad.
Jaap waste in de garage de auto en hij zou de kofferruimte helemaal leegmaken. Op het reservewiel na.
„Laten we er goed aan denken," begon ik, „dat wij niet zoveel doen. Jaap vindt alles eenvoudig. Even soep koken en even afwassen. En de kinderen moeten helpen. Hans vooral. Hij moet een stoere kampeerder worden."
„En we nemen niet te veel mee. Eén bekertje, waar we om de beurt uit moeten drinken. Volgens het Maasverhaal werd zo'n kroes steeds in het heldere rivierwater afgespoeld. Maar in Friesland zijn niet zoveel heldere rivieren."
„Hebben jullie alles al klaargelegd?" vroeg Jaap, toen de auto blijkbaar schoongewassen in de garage stond. Hij keek al zoekend de kamer rond en dook even achter de bank om te kijken of daar misschien een stapel ondergoed, badhanddoeken en lakens zou liggen. Maar Nan lachte opgewekt.
„Waarom?" vroeg ze vrolijk, „je vertelt altijd dat Wim en jij zo vertrokken! Mooi weer? Hup, de tent op de fiets, een handdoek uit de kast gegrist, een deken van het bed en trappen! Eten is overal te koop en meeslepen is totaal onnodig!"
„Ja, vroeger," aarzelde Jaap, „maar nu, met Hansje en Jetske..."
„Hans en Jetske moeten het net zo leren. Dat zei je toen die avond tegen Stella en Wim. De arme, arme kinderen, die verleden jaar in Italië in een hotel moesten zitten. Als je nu zo model gaat kamperen, met

kleedjes over tafeltjes en servetjes voor de vette vingers zijn ze precies even ver! Nee hoor, echt kamperen! Dat vinden de kinderen heerlijk! Vrij en ongedwongen. En als je Jetske vrijheid wilt geven moet je haar de hele dag in een short laten lopen of in een badpak. Veel kleren hebben we dus niet nodig. En ik wilde die dikke, geblokte dekens meenemen om in te slapen."
Jaap knikte.
„En bordjes, kopjes, pannen enzovoorts?" vroeg hij vol bange voorgevoelens.
„We mikken morgenochtend wel wat in een kist," zei ik. En Nan meende zorgeloos: „Als we maar geld meenemen om iets te kopen. Kookten jullie alles fris en vers? Soep van peterselieblaadjes en roze worteltjes? En pasgedraaid gehakt van de slager?"
„Och," Jaap durfde het bijna niet te zeggen, „we kunnen voor deze keer wel een paar blikken meenemen. Vroeger, in de tententijd van Wim en mij, waren er nog geen blik- en pakjessoepen, maar tegenwoordig, heerlijk en vlug klaar!"
We wilden er juist iets over zeggen, toen de telefoon rinkelde. Jaap sprong op en rende naar het toestel. Hij sprak zeer onderdanig.
„Een goede klant," Nan glimlachte, „misschien verdient hij vanavond het Berenhol nog terug!"
Maar het was de standhouder van de RAI Hij had gehoord dat meneer Gravensteyn met Pinksteren wilde kamperen. En dat meneer een geschikte plaats zocht. Hij wist iets voor ons: in Dwingelo, in Drenthe, een heerlijke, rustige camping! Klein, knus en windbeschut tegen de bomen gedrukt. De Bosrand heette die oase en hij raadde ons dringend aan daar heen te gaan. Jaap bedankte hem buigend voor de zwarte haak. Zoveel service, zoveel medeleven.
„Dwingelo dus," Nan draaide aan de radio, „hoe lang is dat rijden?"

„Ja," Jaaps gedachten sprongen alweer verder, „we moeten er op tijd uit. Vroeg uit de veren! Pluk de dag!"
„Waarom?" ging Nan erop in, „we hebben toch vrij?"
Maar de volgende morgen liep om halfzes de wekker af en om kwart voor zes doolde Jaap door het huis.
„Moet de fluitketel mee?" riep hij naar boven, „dan zet ik hem alvast in de hal."
„Ik wil eerst thee," gilde Nan terug, „en een beschuitje."
Jetske hing over de trapleuning. „Paps, bent u eruit? Hebt u uw korte broek al aan? O nee, ik zie pyjamabenen."
Jaap legde de luchtbedden op de halmat en een voetpompje. De plastic borden, die Nan gekocht had en de kommen. En drie, in elkaar passende pannetjes. Ze glommen van plezier, omdat ze mee uit mochten. Ook het kleine campinggasstelletje, dat na een woordenwisseling over primus-ja en primus-nee gekocht was, stond op de mat, maar het was toch, voor een uittocht van vijf mensen, een zielig hoekje. Jaap keek er zorgelijk naar.
„Moeten we niet meer meenemen, Ine?" vroeg hij, toen ik de tap afdaalde. Ik keek naar de voorraad. „Och nee," dacht ik, „de tent ligt al in de bagageruimte, dekens pakken we straks wel even, eten kopen we onderweg, borden heb je hier staan; vorken, lepels en messen, die moeten wel mee."
Jaap draafde naar de keuken. Toen hij weer in de gang liep mikte Nan juist de dekens over de trapleuning. Eén viel precies op Jaaps hoofd en de vorken, en één rolde voor zijn voeten van de laagste traptree. Nan jubelde boven: „Zing een lied in de morgen..." en Jaap zei beneden een lelijk woord, dat echter op passende wijze gesmoord werd door de rode en gele blokken.
„Hans, zoek een schone pyjama voor jezelf en een zakdoek," riep Nan, toen het morgenlied uit was, „en

Jetske, jij ook. Oprollen en in de weekendtas doen. En je badpak, een handdoek en je tandenborstel."
„Ook een washandje, mam?" vroeg Jetske, maar Nan bezuinigde opeens op het kleinste ruimtehoekje. „Nee kind," zei ze, „je houdt je hele hoofd maar onder de kraan." Jetske huppelde door haar kamer.
„Hebben we echt niets vergeten?" vroeg Jaap, toen om acht uur de hele familie op de stoep was verzameld, „Nan zou je geen extra kleren voor de kinderen meenemen?"
Maar Nan vond het niet nodig.
„Een korte en een lange broek," zei ze, „een bloesje voor de warmte en een trui voor de kou; dat is voldoende."
We stapten in en reden weg.
Dag Amsterdam, dag huizen, dag trams en gierende auto's!!

Het was gelukkig prachtig weer. Niet zomers warm, maar toch heerlijk in de zon. We zaten met blote armen en knieën in de auto.
„Is het nog ver?" begon Jetske, toen we nog niet eens bij Zaandam waren, maar Jaap pompte de moed erin door vrolijke trekkersliedjes te gaan jubelen.
In de Wieringermeer gaf hij zijn kinderen interessante les over het droogleggen van een polder. (En hier zie je het resultaat, zei hij. Prachtige tuintjes uit het water, vond Jetske goedkeurend, alsof ze over diepvries aardbeitjes sprak) en op de Afsluitdijk begon Jaap over dat machtige werk te spreken.
„We moeten het monument bekijken," hij reed de parkeerplaats al op en even later stonden we bewonderend voor het beeld van de dijkwerkers.
„Onthoudt goed wat hier staat," Jaap keek zijn zoon en dochter streng aan, „een volk dat leeft, bouwt aan zijn toekomst."

„Verkopen ze hier beneden ijs?" vroeg Jetske en Hans zei: „Ik zag zojuist iemand met een chocoladereep lopen." Ze keken allebei verlangend naar beneden.
Toen we in Zuid-Friesland zwierven vond Jaap het tijd om een kaart te pakken. Hans moest nu leren spoorzoeken. Een echte trekker, een heuse padvinder zou hij worden.
„Kijk jongen," zei Jaap vaderlijk, „we moeten deze zwarte lijn volgen, dat is de grootste weg, tot hier. Dan deze rode lijn, tot hier. En dan zo en zo en zo en dan zijn we in Dwingelo."
Hans knikte. Ik geloof dat we ganselijk Drenthe doorgedwaald zijn voor we Dwingelo bereikten. Het was inmiddels één uur in de middag geworden. We hadden om een uur of tien wel koffie gedronken en een groot stuk droge taart gegeten in een klein restaurant langs de rijweg, maar nu begonnen we toch trek, zeg maar gerust honger te krijgen.
„Laten we eerst maar even de boodschappen gaan halen," dacht Nan, „daarna vlug naar de camping rijden en dan kunnen we na een kwartiertje eten."
Jaap keek op.
„Vijf minuten tent opzetten," ik wist precies hoe Nan rekende, „en in tien minuten is het eten klaar. Dat heb jij altijd beweerd. Wat moeten we halen bij de kruidenier?"
„Hier is een winkeltje. Jaap, geef je portemonnee."
We sloegen blikken bij blikken in. Soep in allerlei soorten, bami, nasi en complete maaltijden, waarvan de winkeljuffrouw zei dat het heerlijk was. Hans keek argwanend naar de plaatjes op de blikken en Nan en ik hoopten dat kou en buitenlucht hongerig zou maken. En rauwe bonen zoet.
Van de kruidenier gingen we naar de slager. Jaap was inmiddels naar een bakker getogen, Hans liet een melkfles stuk vallen op Dwingelo's brink en Jetske

vroeg aan iedereen, waar men schepijs kon kopen en of er in dit dorp ook patates frites gebakken werden.
Eindelijk lag de achterbank van de auto vol. Ik kroop op een puntje en steunde flessen en zakken met uitgestrekte armen. Nan met Jetske op schoot en Hans tegen zich aan gedrukt, zat naast Jaap op de voorbank.
De Bosrand, Jaap keek al speurend rond, „zien jullie een bos en de rand van dat bos?"
We zagen niets. Maar Hans, pienter jongetje en trekkertje van de toekomst, ontdekte bordjes langs de kant van de weg. En ja hoor, camping, zwembad, theehuis en heideveld, alles stond erop.
We reden met gematigde snelheid, vanwege de verschuifbare lading, in de goede richting. Weer een bordje, nu armoediger en laag bij de grond. Camping De Bosrand, linksaf. Jaap reeds linksaf.
Een smal weggetje met bomen en struiken. En daar was, rechts van de weg, de camping! We zagen oranje, blauwe en groene tenten en onze harten sprongen op van vreugde. De kinderen stortten zich joelend en gillend uit de wagen, Nan hielp mij tussen een fles yoghurt en een omvallende suikerzak vandaan en Jaap sprak reeds met de kampeigenaar.
Het grote terrein stond vol, maar daarachter, op een verlaten grasveld met enkele kleine boompjes, was nog ruimte genoeg. Er stond geen enkele tent!
Het was inderdaad De Bosrand, want vlak achter het grasveld strekte het bos zich donker en diep uit. We hoorden de wind door de hoge kruinen ritselen en we ademden de heerlijke, frisse boslucht diep in.
Jaap reed de wagen over een oneffen, modderig pad naar de plek des vrijheids en Nan en ik wendden ons met van angst vochtige ogen af om geen getuigen behoeven te zijn van het herschapen zijn van het nette autointerieur in een complete chaos. Maar het viel allemaal erg mee. Jaap zei later, dat het kwam door zijn

zuiver rijden en de prima schokbrekers, wij dachten meer aan het vakkundig opstapelen van de lading. En we werden gesterkt in onze overtuiging, dat er inderdaad geschokt was, want een plastic zak vol pinda's was onwel geworden en had zijn inhoud over het vloertje uitgegooid.
Jaap bepaalde de plaats waar de tent moest komen te staan. Dat ging nog niet zomaar, want Hans kreeg tegelijkertijd les in het kamperen.
„Mijn zoon," sprak Jaap, „eerst zoeken we een vlak terreintje."
Hans dook over de grond. „Het zijn allemaal harde bobbels, paps, en er groeien prikkers. We moeten maar een andere camping zoeken."
„Nee, jongen," onderwees Jaap, „prikkers deren ons niet. Want we hebben toch een vast grondzeil?" Hij keek gemaakt opgelucht. Nan en ik sloegen het tafereel vanaf het gras gade.
„Deze hoek dus," Jaap stapte met grote passen over het uitgezochte stukje grasland om de lengte af te meten. „En nu: hoe plaatsen we de tent? Willen we de zon 's morgens op de luifel hebben en waar komt de zon morgenochtend op? Zullen we het achtereinde naar de bomen keren, met het oog op de wind? En staan we wat beschut, als het gaat regenen?"
„Zal ik het weerbericht draaien, paps, bij de kampvader?" vroeg Hans. Maar Jaap keek als een echt buitenmens naar de lucht.
„De zon komt morgen daar op," zei hij, „in het oosten. We plaatsen de opening van de tent dus hier. En laten we hem maar recht zetten, dus zo. Ik zal de tent pakken." Hij stapte fier en fit naar de kofferruimte om ons onderdak voor enkele dagen en nachten op te halen. Hans en Jetske dartelden om hem heen, kregen ruzie wie de tentstokken ineen mocht schuiven en wie de grondpennen moest aangeven.

Nan en ik trokken ons terug. „We moeten maar eventjes helpen," zei Nan, „alleen met het vasthouden van de noklat."
Meer deden we er ook niet aan. Jaap spande het vaste grondzeil, hij liep om de tent heen met haringen en een houten hamer, Jetske ontwarde de schering van de voorluifel en Hans probeerde een waslijn aan te brengen, door een stuk touw van boom tot boom te spannen.
„Zorg jij voor het eten, Jaap, jij weet precies hoe dat moet zo in het gras en Hans, nee, niet het bos in, jij gaat de luchtbedden oppompen. Jetske haalt water. Daar ergens is wel een kraan." Nan wuifde met de lege jerrycan in het rond.
Na een half uur leek het om het Berenhol waarlijk alsof er raskampeerders waren neergestreken. Op een keurig vlammetje geurde de soep. Jaap had abusievelijk een blik kippensoep en een blik tomatensoep dooreen gegoten, maar Nan zei dat dat beslist niet hinderde, want dat kippen bij leven en welzijn al geen tomaten eten en dat ze onder deze omstandigheden helemaal geen bek op zouden zetten. Het bleef dus toch: twee blikken.
Op het andere vlammetje stond een pan kant-en-klare maaltijd. Jaap had eerst een ferme klont boter, ik dacht dat het minstens een half pond was, op de bodem laten glijden. „Om aanbranden te voorkomen," zei hij. Hij prikte met een vork in het pannetje rond.
Om halfdrie was de maaltijd gereed.
„Allemaal komen!" riep Nan. Hans zat in een boom en Jetske zocht bladeren. „Op het grondzeil zitten en je bord op je knieën nemen. Jetske, ga jij maar net voor de tent zitten. In het gras. Als je dan kliedert..."
„Dan is ons inloopje vies," dacht Hans, maar Nan zei eenvoudig: „In dat geval verplaatst papa de tent."
We zaten op de grond en lepelden tomatenkippensoep.

De soep was warm, we rammelden van de honger en het smaakte prima.
Na het eten strekte Jaap zich lui en gemakkelijk uit op een luchtbed dat hij naar buiten had gesleept en opzij van de tent in de zon neerlegde.
„Ik heb genoeg gedaan vandaag," meende hij, „het hele traject naar hier gereden, de tent opgezet en het eten gekookt: jullie zorgen maar voor de afwas."
„Kom jongens," ik nam de pan waarin de kant-en klaarprak een heerlijk aangebakken korstje had achtergelaten, „we gaan in optocht naar de spoelkranen. Hans neemt de borden en Jetske zet de vorken en lepels in dat kleine pannetje. Kom mee!"
We rinkelden over het terrein.
Toen we terugkwamen kookte het water op de vlam, Nan spatte met afwasmiddel en zittend in het gras zorgden we voor schoon kookgereedschap.
Toen alles glimmend en blinkend onder de luifel stond sleepten we nog twee luchtbedden in de zon. Nan ging behoedzaam op het ene bed zitten, strekte met een zucht van genoegen haar benen uit, liet zich languit achterover zakken, vouwde haar handen onder haar hoofd, keek nog even met een schuine blik naar Hans en Jetske, die in het bos speelden, en sloot haar ogen.
Ik ging op het andere bed liggen. Het was bobbelig en te hard opgepompt. Ik schopte mijn schoenen uit en keek naar de blauwe lucht boven me.
Het waren verloren dagen, zo in een tent te moeten zitten en niets doen. Maar in elk geval scheen nu de zon en het bos geurde heerlijk. Ik sloot mijn ogen en viel in slaap.
Ik droomde van een groot schip met witte, bolle zeilen, dat naar verre landen voer en dat mij op een onbewoond eiland zou brengen. Daar scheen altijd de zon, de bomen hingen vol sappige vruchten en onder de grond groeiden blikken aardappelen en andijvie. Geen

andere soorten groenten, alleen andijvie. Dat was wel jammer, want ik hou niet zo van andijvie.

HOOFDSTUK 4

Om een uur of zes werd het kil. De zon ging schuil achter grote, donkere wolken en omdat het bos zo dicht bij ons was, kwam er schaduw en duisternis over ons grasveldje.
Nan en ik hadden onze lange broeken al aangetrokken en Hans en Jetske voelden zich net lekker in hun dikke ijstruien.
Jaap hing nog de stoere kampeerder uit. Hij had wel een trui aan, maar hij handhaafde nog zijn korte broek boven witte, dunne benen.
„We gaan naar binnen," stelde Nan voor en tegen mij fluisterde ze: „Zullen we onze spullen maar niet in de tent slepen?"
We hadden blikjes en dozen onder de luifel opgestapeld en Jaap zei dat het daar allemaal kon blijven staan, want kampeerders zijn garanteerlijke mensen. Hij had nog nooit iets van diefstal op een camping meegemaakt. Alleen was er eens een blauwe handdoek van zijn scheerlijn afgewaaid en die was nooit meer teruggevonden. En een zonnebril. En een zeepdoos. Maar verder niets!
„Ja, laten we onze voorraad maar in de tent zetten," dat vond ik ook, „dan slaap ik geruster. Het idee dat er iemand met onze soepblikken vandoor gaat en de gehaktballetjes opeet terwijl wij rustig slapen..."
„We moeten ruimte maken." Nan schoof op haar knieën over het grondzeil. Ze rukte aan koffers en duwde tegen de luchtbedden. Maar ze kreeg een keurige voorraadhoek vrij. We gaven elkaar de pakken en zakken aan.
„Wil jij ook een paar blikken bij je luchtbedhoofdkussen?" vroeg Nan, „als er dan vannacht iemand de tent insluipt, mik je hem zo'n blik naar zijn hoofd. Ik doe vannacht geen oog dicht. Ik vind het eng, zo'n dun

wandje dat je tegen de wrede buitenwereld moet beschermen."
We maakten de luchtbedden weer ruim en gingen er even op zitten. Hans en Jetske kropen het Berenhol binnen en zetten zich elk op een luchtbedhoofdkussen.
„Ik zie, ik zie wat jij niet ziet," begon Jetske, „en de kleur is rood."
„Dat blikje, dat blikje, dat blikje!" riep Hans. Hij pikte met zijn vinger onze voorraadkast omver.
„Ik zal water opzetten voor koffie," Jaap verdween onder de luifel. „Je hebt toch een blik oploskoffie gekocht, hè Nan?"
„Ja, even zoeken, ja hier. Maar ik heb ook een koffiepot meegenomen. Want ik wil geen vijf dagen lang oploskoffie drinken."
Toen de koffie klaar was droeg Jaap de pot net als een Engelse butler, niet zo kaarsrecht maar wel zo plechtig, de tent binnen. Nan stak een waxinelichtje aan, schoof het tussen twee koffers en plaatste daar de koffiepot op.
Hans lag languit op zijn buik voor de tentopening. Hij loerde door een kleine opening. „Er is niets te zien," meldde hij om de drie minuten, „er is geen nieuws."
We zochten naar de suiker en melk en Nan schonk de kommen vol. We hapten juist met grote happen in stevige, zoete koeken, toen Hans meldde: „Er komt nog iemand! Er komt nu nog iemand met een tent!"
Jaap zette zijn kom naast het lichtje op het grondzeil en kroop naar zijn zoon. Twee paar ogen loerden naar buiten om de snoodaard die onze avondrust kwam verstoren, te aanschouwen. Nan, Jetske en ik probeerden onze halswervels in allerlei kronkels te draaien om ook nog iets van het schouwspel op te vangen, maar het was onmogelijk. We zagen niets.
„Is het een grote tent?" vroeg Nan daarom vanuit de achterhoede.

„Nee," berichtte Jaap, „een heel klein tentje. En het is een man alleen. Een jonge vent nog. Een echte trekker. Dat zie je zo. Kijk eens hoe handig! Het is toch al schemerig en hij zet zijn tentje op met gemak en een rust, zoals alleen een ervaren kampeerder dat kan doen. Zie je Hans, eerst het grondzeil spannen. Dat zeg ik ook altijd. Je grondzeil is je fundament."
„We moeten nog eten," ontdekte Nan, „we hebben nog geen avondeten gehad en het is al laat. Doe de tent maar dicht. Het staat zo raar, dat geloer en gegluur naar de buren. Echte kampeerders doen dat niet."
De eerste broodmaaltijd werd, voor de kinderen in elk geval, een vreugdevol feest.
Jaap had gelukkig gesneden brood gekocht en Nan zette een onwijze stapel op een dubbel gevouwen stuk keukenrolpapier, de randjes omgekruld, dat als broodschaal dienst deed. En een ieder bediende zichzelf. Jetske smeerde in de boterdoos rond en bestrooide haar boterham rijkelijk met chocoladekorrels, Hans bezeerde zich aan een mes, toen hij kaas wilde snijden. De verbanddoos was vergeten en van een zakdoek werd vlug een snelverband gemaakt. Er viel een kom koffie om, maar Nan reageerde snel en zonder schelden, ze frommelde een oude krant ineen, drukte hem op de nattigheid en de advertentiemeisjes, naast hun wasmachines en ijskasten, dronken het vocht gulzig op.
Het was vreselijk knus. De kinderen mochten praten onder het eten en met hun knieën boven tafel zitten.
Ik had, in een helder moment, de dikke noodkaars van mijn kamer in mijn tas gegooid en die kwam nu goed van pas, want een lamp of lichtje was niet aanwezig. De kaars stond in een lege kroes en verspreidde een gezellig licht.
„We zetten de bordjes en kopjes straks in de grootste pan," zei Jaap, „en die pan zetten we gewoon buiten.

Met water erin. Dan weekt alles schoon en morgenochtend kun je het zo even afdrogen en weer gebruiken."
We knikten. We hadden ook geen zin meer om nu, in het donker, naar de spoelkraan te lopen en dus stapelden we alles in de pan en schoven het door de tentopening.
„Hans en Jetske gaan zich nu wassen in het waslokaal," las Nan uit de reglementen voor, „handdoek meenemen en je voeten niet vergeten. Dan kunnen jullie straks je pyjama's aantrekken en in je dekens kruipen. Het is toch te koud om nog buiten te zijn."
Ze kropen met fris gewassen snoeten en natte haren weer naar binnen. We hadden twee luchtbedden achter in de tent gesleept, elk aan een kant en Nan rolde de kinderen in de dikke, warme dekens en daar lagen ze als gebundelde eskimobaby's.
„Eigenlijk hadden we lakens en slopen en tussendekens mee moeten nemen," onderwees ik schooljuffrouwachtig, „want Jetske moet leren bedden op te maken. Maar het was voor deze paar dagen niet de moeite."
„Gelukkig maar," zuchtte Jetske.
Ze lagen naar ons te kijken. Hoe we bij het kaarsvlammetje zaten niets te doen. Het is allemaal klein en krap, we hadden geen tafel, geen stoel, niets en het licht was slecht. We konden er zelfs niet bij lezen. Ik gooide het ochtendblad in een hoek.
„Kijk," fluisterde Nan, na vijf minuten zitten en niet veel zeggen, ze had de rits een stukje opengeschoven en gluurde naar buiten, „nu brandt er licht in dat tentje."
We keken om de beurt en ja, in het kleine, lage tentje, dat heel dicht tegen de bomen van het bos stond aangedrukt, brandde een klein lichtje.
„Het lijkt wel een kabouterhuisje," dacht ik. We keken

er alle vier vertederd naar. Hans en Jetske half uit hun dekens gerekt.
„Het is een kampkluizenaar," zei Jaap, „zo'n man moet je met rust laten." Hij schoof de rits weer dicht en wij gingen weer zitten en liggen.
„Ik ga even een stukje lopen," deelde Jaap na een half uurtje praten over tenten, kamperen en vrij-zijn mee, „een stukje langs de weg en over de camping."
We gaven toestemming. „Maar slechts voor deze ene keer," zei Nan, „want jij houdt zo van kamperen, jij vindt het zo heerlijk bij een kaars in een tent te zitten. Jij vindt het zo fijn op de grond te leunen en uit te kijken op de tentdoekwanden."
Toen Jaap verdwenen was haalde Nan een zak pinda's voor den dag. Hans en Jetske gingen met deken en al zitten en we knabbelden nootjes. We gooiden de doppen in een oude krant. Van die pinda's kregen we dorst. Nan toverde een flesje sinaasappelsap voor de dag, ze zocht de hele tent af naar een flesopener en ik zei juist: „We hebben geen glazen om uit te drinken, maar we hebben wel rietjes. En dan zal ik jullie eens een vreselijk eng verhaal..." toen de ritssluiting krakend openging, Jaaps gezicht in de opening verscheen en hij schreeuwde: „Raden jullie eens wie ik hier ontmoet heb?! Jullie raden het nooit! Frank van het sheltertje van Goed Kamp!"
„Nee!" riepen we verbaasd, maar ja hoor, werkelijk, achter Jaap kroop Frank de tent binnen. Hij lachte blij naar ons en ik voelde me opeens warm worden, want aan deze jongen en aan deze ogen had ik dikwijls gedacht na ons bezoek aan de RAI Gelukkig verspreidde de kaars maar een akelig flauw licht en viel het dus helemaal niet op dat mijn hals en wangen opeens zo rood gekleurd waren.
Hans en Jetske ontvingen Frank met rauwe indianenkreten, want al was hij dan niet Swiebertje, voor hen

de enige man om werkelijk voor te juichen, hij vormde in elk geval een welkome afleiding.
Het werd een gezellig uurtje. Jaap en Frank dopten pinda's, Frank vertelde van zijn nieuwe tentje (het was toch een Muizenval geworden) en van zijn zwerftocht door Drenthe. Tot hij hier, in Dwingelo, was terechtgekomen. Ja, hij stond hier vlak achter. Bijna in het bos. Hij sprak rustig en er was iets vrolijks in zijn stem, maar zijn ogen zwierven toch zoekend, dacht ik, door de tent. Hij zag onze voorraadhoek, de kinderen in de dekens, hun kleren op stapeltjes in de bagagepunt en onze tassen naast de ritssluiting.
We dronken sinaasappelsap (met rietjes uit de flesjes), praatten nog wat en toen zei Frank dat hij naar zijn tentje moest gaan. „Om tien uur luidt op een camping toch het klokje van gehoorzaamheid!" Hij wenste ons 'wel te rusten', lachte even naar Hans en Jetske en keek mij recht aan. Mijn hart sloeg weer een paar slagen over.
Het was donker buiten. Bij het licht van zijn zaklantaarn zagen we zijn voeten over het grasveld gaan en tussen de bomen verdwijnen.
„En nu jullie ook vlug naar dromenland," Nan sjorde de deken hoger om Jetske heen, „het is al vreselijk laat. Tante Ine en ik gaan nog even naar het waslokaal. Pappa blijft in de tent. Gauw gaan slapen hoor!"
Toen we terugkwamen zat Jaap voor het Berenhol. Het was donker en stil op de camping. Hier en daar brandde nog een lichtje, maar de meeste tenten stonden toch als donkere schimmen te soezen in de avondwind. In het kleine tentje onder de bomen, brandde nog licht.
„Kom binnen," Jaap deed galant de ritssluiting voor ons open, kroop achter ons aan, sloot de rits weer en vroeg zachtjes: „Slapen de kinderen?"
„Als rozen," fluisterde Nan. Ze trok haar trui uit.

Gebogen in de tent. Ik ging op mijn luchtbed zitten en zocht mijn pyjamajasje.
„Hoe is het mogelijk, hè," begon Jaap nu op gedempte toon te praten, „dat die jongen juist op deze camping is terechtgekomen. Er zijn zoveel campings in deze omgeving. Veel groter en bekender. En dat hij juist hier..."
„Ja," viel ik hem onmiddellijk bij, ik liet mijn stem dalen en keek een beetje verschrikt om me heen, „dat is heel vreemd. Daar heb ik ook al over gedacht."
Nan is vreselijk bang. Vroeger zag ze dieven en rovers door de dakgoten van ons huis kruipen, mannen die kinderen wilden stelen, zetten hun ladders tegen ons slaapkamerraam op en als ik zei: „Stil eens... ik hoor iets op de gang," dan sleepte Nan stoelen en kastjes voor de deur en ging er met een van angst kloppend hartje bovenop zitten te bibberen. Ik genoot dan onder de warme dekens.
Nan was nog bang. Ze trok de trui die boven haar hoofd tussen haar opgeheven armen bengelde, weer naar omlaag. „Ik hou hem aan," zei ze, ze boog zich voorover, „denken jullie dat er iets... dat er iets is met die knaap? Omdat hij ons in de RAI heeft ontmoet en ons nu hier heeft gevonden? Omdat hij zo laat in de avond op een camping komt en zijn tentje zo eng tegen het bos aan zet?"
„Och, er niets bijzonders," troostte Jaap, „het is alleen maar vreemd. Gewoon... vreemd. Dat hij uitgerekend hier komt. Ik ga even naar het toilet." Hij schoof de rits open en verdween over het donkere grasveld.
Nan en ik zaten naast elkaar op mijn luchtbed. Allebei met één oog glurend naar de opening. Alsof we elk ogenblik verwachtten dat er iemand binnen zou komen. Met een mes of een... Maar er gebeurde niets. De wind deed het tentzeil zachtjes bollen en ritselen. Nan kroop over het grondzeil naar buiten.

„Er brandt nog licht bij Frank," berichtte ze, „en hij moest zo nodig slapen. Tien uur, kampeerbedtijd!"
Jaap kwam terug. Hij sloot de rits zorgvuldig.
„Het is heel stil buiten," zei hij, „en koud. Bij Frank brandt nog licht, maar de andere tenten zijn bijna alle al donker."
„Wat denk je, Jaap," rilde Nan, „zou er iets achter zitten?"
„Och," Jaap gespte zijn sandalen los, „dat nu niet bepaald. Maar het is toch een beetje wonderlijk. En er gebeuren zoveel nare dingen tegenwoordig. Iedere dag lees je in de kranten over berovingen, overvallen, inbraken..."
„Misschien denkt die Frank wel dat jij veel geld bij je hebt," opperde ik, „misschien is de verkoper van de Hiswa wel een... een handlanger van hem. Toen Hans naar de stand ging om een folder te halen, weet je dat nog, vlak voor we weggingen, toen zaten Frank en die baardjongen met elkaar te praten. Dat vertelde Hansje nog."
„Misschien hebben ze toen je naam wel besproken," bibberde Nan, „want die heb je opgegeven. J. Gravensteyn. Van Gravensteyn en Gravensteyn. Een goede zaak. Veel geld..."
„We moeten onszelf niet bang praten," dacht Jaap.
„Nee," Nan beefde, „maar we blijven waakzaam. We doen het licht uit, maar we blijven wakker."
„Ik tol om van de slaap," deelde ik mee.
„Dan gaan we maar om de beurt slapen," zei Nan.
„Doe niet zo gek. Leg mijn luchtbed maar hier vooraan bij de opening. Ik lust hem. Waar is de tas met het geld? Het is wel de moeite trouwens, ik heb alles wat in huis was meegenomen. We moeten er wel op passen."
We rolden ons (dikke truien boven pyjamabroeken) in de dekens, we bliezen de kaars uit en we lagen in een donkere tent.

We hoorden de wind in de bomen van het bos. Ritselend door de bladeren. Verder was het stil. Heel stil.
Ik lag lang wakker. Naast me draaide Nan, ze zuchtte.
De volgende morgen stond de zon stralend aan een blauwe hemel, de vogeltjes in het bos zongen een vrolijk ochtendlied, de kinderen op de camping schreeuwden en lachten met hoge stemmetjes en Hans en Jetske lieten zich met deken en al van hun luchtbedden rollen.
„Goedemorgen, allemaal!" riep Jaap, „zal ik thee zetten?"
Nan en ik rekten ons lui uit en keken door de wijde tentopening naar de blauwe lucht.
„Ga je mee, Jetske, naar het waslokaal," Hans schopte zijn deken in een hoek, „dit is mijn handdoek en de zeepdoos is weg. Kom gauw!"
Na een uurtje kwam er wat ruimte om ons heen. De luchtbedden lagen op elkaar achter in de tent, de dekens er keurig opgevouwen bovenop, Jetske veegde de vloer aan met een borsteltje uit de auto en Hans smeerde brood, in het gras, voor de tent.
We loerden af en toe naar het bostentje. Frank was wakker. Aan een schering wapperde een handdoek en een slip van de tent was vastgemaakt aan een andere scheerlijn om de frisse morgenboslucht binnen te laten.
We aten brood in de zon. Ik kreeg kramp in mijn benen van het op de grond zitten en daarom sleepte ik mijn luchtbed naar buiten. Nan ging naast me zitten. Als ze opstond om de jam te pakken zakte ik op de grassprieten.
Na het ontbijt trokken Jetske en Hans met de vuile kopjes naar de spoelkranen. Hans had op de camping een oude doos gevonden, hij knoopte er een touwtje aan, zette alle afwasspullen erin en zingend trokken ze over het grasveldje.

De zon stond nu hoog boven ons en we verlegden de luchtbedden naar de zijkant van de tent, opdat onze witte armen en benen zich volledig in de warme stralen konden koesteren.
Jaap zou voor de koffie zorgen.
Hij had een plankje in het bos gevonden, spoelde dat goed af onder de kraan en daarop stonden de kopjes.
Hans en Jetske waren tussen de bomen verdwenen.
We hielden het tentje in het bos voortdurend in het oog. We zagen hoe Frank water kookte op een kleine primus. Hij zat erbij op de grond, terwijl op een paar takjes, kunstig schuin opgestapeld, een opengeslagen boek lag. Hij las een paar bladzijden, keek in het pannetje, roerde in een beker en toen het water blijkbaar kookte, goot hij het uit het pannetje in de beker. Het was koffie, beslisten wij, want we zagen Frank naar een klein flesje koffiemelk duiken. Hij dronk, onder het lezen, de beker leeg.
Om een uur of tien bracht hij alle spulletjes in zijn tentje, kwam met een flink, plat plak naar buiten, bond het achter op de scooter en ritste de tent dicht. Hij duwde de scooter het grasveldje op, startte en kwam, heel langzaam rijdend, langs ons Berenhol.
„Goedemorgen, allemaal!" riep hij vrolijk, „lekker geslapen?"
„Jawel hoor," riepen wij, een beetje gereserveerd na alles wat we over hem gedacht hadden, „zo rustig en ongestoord!"
Frank grijnsde en knetterde weg. Achter op de scooter hupte het grote pak mee over de hobbels.
De koffie was heerlijk. En Jaap had zijn boodschap in de bakkerswinkel werkelijk goed gedaan. De koek, die hij tevoorschijn toverde, was lekker. We knabbelden er genoeglijk op.
Opeens kwamen Hans en Jetske met rode wangen en flitsende ogen naar de tent toehollen.

„Paps, die meneer van de bostent is toch weggegaan," vroeg Hans dringend, „en weet u wat er in zijn tent ligt?!"
„Hans!" kreet Nan verschrikt, „wat doe jij in die mijnheer zijn tent!"
Maar Jaap stak zijn hand op, keek zijn zoon scherp aan en vroeg: „Vertel eens, Hans, wat was er in die tent?"
„Een tekening," vertelde Hans nu, zijn gezichtje straalde van gewicht nu wij allen naar hem luisterden, „een tekening, waarop alles staat van onze tent! De slaapzakken, de dekens, zelfs mijn hoofd en dat van Jetske, en de blikjes appelmoes in de hoek en... en de kaars in de kroes."
„Nee!" riepen Nan en ik tegelijk en Jaap zuchtte: „Dat is toch merkwaardig, hoogst merkwaardig!"
„Ik ga kijken," Nan stond al op, maar Jaap hield haar tegen. „Nee Nan, dat mag je niet doen. Stel je voor dat Frank terugkomt op het moment dat jij in zijn tent..."
„We moeten kijkposten uitzetten," stelde ik voor, „Hans gaat bij de campingingang staan, Jetske op de hoek van het woonhuis, ik hier bij onze tent en als er onraad is, als Hansje in de verte de scooter ziet naderen, zijn we vroeg genoeg om Nan uit dat tentje te halen."
„Als het maar onopvallend gaat," weifelde Jaap nog, „ik wil absoluut geen drukte op de camping. Hans, je gaat daar heel gewoontjes staan te kijken en Jetske, als jij gaat gillen 'daar komt hij! daar komt hij', dan bind ik je boven in de hoogste boom van het bos vast."
„Dat is echte kampeertaal," knikte ik goedkeurend, „maar laten we een sein afspreken. Als er onraad is steekt Hans zijn rechterarm omhoog. Jetske doet dat dan ook, ik, bij de tent eveneens en dan kun jij Nan waarschuwen, Jaap, of Nan roept jou. Wie er maar juist in het tentje is. En ik wil de tekening ook zien. Hans en Jetske blijven dus op hun post tot één van ons

hen komt halen. En jullie gillen niet. Denk je eraan, Jetske?”
Het kind knikte ernstig. Ze voelde zich opgenomen in een anti-roversbende.
„Hans heeft me vanmorgen bij de kraan alles verteld,” zei ze. We keken Hans verbaasd aan.
„Ik sliep gisteravond nog niet,” bekende hij nu met neergeslagen ogen, „en ik hoorde wat paps, mams en tante Ine zeiden over die man in het sheltertje.”
Hij liep naar de weg. Jetske huppelde langs het kampvaderhuis heen en weer en ik stond bij de tent. Jaap hield mij in het oog en Nan kroop in het tentje. Toen wisselden Nan en Jaap. En later loste Jaap mij af.
Ik sloop het kleine sheltertje binnen. Het was er ruim. Luchtbed, slaapzak, kleren, pannetjes en een kooktoestelletje: het stond alles keurig aan de ene zijde van de tent. En aan de andere zijde lag, naast een paar blikken, een kop en schotel en een bord… de tekening. Ik boog me erover en ja, heus, het was het interieur van onze tent! In dunne lijntjes, maar beslist onze dekens en bedden, de tassen, de hoofdjes van Hans en Jetske op de bobbeldikke luchtbedkussens en mijn dikke kaars in de kroes!
Ik kroop weer naar buiten, ritste het tentje dicht en stapte naar Nan en Jaap. Nan haalde de uitzetposten op en toen hielden we krijgsraad voor de tent.
„Het is een echt avontuur!” juichte Hans. „U zei toch, paps, dat er altijd iets gebeurt als je gaat kamperen! U beleefde vroeger toch ook altijd wat?! En wij gaan nu een echte rover vangen!”
„Och, kind toch,” bestrafte Nan hem, „je leest te veel jongensboeken. Daarin beleven ze het ene avontuur na het andere en het loopt altijd goed af. Daarom juich jij. Maar in het werkelijke leven is dat niet zo. Daar betekent elk avontuur narigheid en zorgen.”
„Nan, vrouwtje toch,” berispte Jaap haar, „maak er

toch niet zo'n drukte van. Er is nog niets gebeurd. Ik zal jullie nog eens een heerlijk kopje koffie inschenken. En dan gaan we vlug aan iets anders denken dan aan die jongen van dat tentje.
Laten we eens over de komende zomervakantie praten. Voel jij er wel wat voor, Ine, om met ons mee te gaan? En waar zou jij naartoe willen?"
Hij wilde Nans gedachten afleiden, dat begreep ik heel goed en ik zwamde een eind weg over een trektocht door Nederland en België. Niet te ver, met het oog op de kinderen en omdat we het nog beter leren moeten: inpakken, afbreken, rijden, opzetten, uitpakken.
„Maar we hebben niet veel in te pakken, dat moet je toegeven," zeurde Jaap met me mee, „dekens, luchtbedden en een paar koffers en tassen. Jij kiest dus Nederland en België. En jij Nanneke?"
Nan was nog steeds niet enthousiast voor het kamperen. „Mijn hart trekt naar Garda, dat weet je," zei ze, „Bel Sito, dit is mijn ideaal."
„Vind je het dan niet heerlijk in het Berenhol?" vroeg Jaap.
„O, zalig!" zei Nan met een vreselijke uithaal.
„Hier, je koffie," ik schoof haar de volle kom toe, „daar kom je van bij. Ik ga nog even met mijn rug in de zon. En met mijn kuiten. Moeten we nog boodschappen doen? Het is zaterdag vandaag."
Ik dook op mijn luchtbed. Nan inspecteerde het flessenrek. „Melk," noemde ze op, „melk moet er gehaald worden en eieren. En brood natuurlijk. Voor twee dagen. Als we hele broden nemen kan Hans leren broodsnijden. Want die jongen moet nodig iets leren. Jaap, rijd jij me met de auto naar het dorp? Want lopend is het me toch heus te ver."
„Straks," beloofde Jaap, „als jij aangekleed bent als een nette dame. En als je het boodschappenlijstje klaar hebt."

HOOFDSTUK 5

„We moeten er niet te veel achter zoeken," zei Jaap. We hadden zojuist nog eens een gesprekje gevoerd over Frank en de tekening in zijn tentje.
Jaap en Nan waren naar het dorp gereden en beladen met allerlei noodzakelijke levensmiddelen en lekkernijen teruggekomen. Nu zaten we voor de tent om het middagmaal samen te stellen, een keuze uit de voorraad blikjes, pakjes en flesjes en omdat onze blikken toch zo af en toe naar het sheltertje in het bos zwierven, begonnen we er ook steeds weer over te praten.
„We moeten er echt niet te veel achter zoeken," herhaalde Jaap. Hij had een blik bami in een pannetje kokend water gezet en hij probeerde het hete blik met een ietwat roestige blikopener open te snijden.
„Maar het is toch gek," Hans zat zowat boven op Jaaps handen en keek vol belangstelling toe hoe zijn vader zijn vingers brandde, „het is toch mal, dat er een tekening van onze tent in zijn tentje ligt, hè pap?"
„Ja," vond Jetske kattig, „laat hij zijn eigen tent tekenen!"
„Het is misschien een situatietekening," dacht ik opgewekt, „om aan te geven waar de tassen staan. De tas met het geld vooral."
„Wat spannend!" riep Hans, „zou het echt daarvoor zijn, tante Ine?"
„Kinderen toch!" zei Jaap vermanend, „maak er alsjeblieft geen drama van! Het is... het is..."
„Het is raar en vreemd en eng," riep Nan vanuit de tent, waar ze zich uit haar strakke zomerjurk hees om weer over te gaan op de landloperkleding, zoals ze het zelf noemde, „en we zullen die Frank in de gaten houden!"
Na de maaltijd en de afwas dacht ik: ik ga even een klein stukje wandelen en dan ga ik ergens, op een rustig plekje, heerlijk zitten lezen. Want Jaap voorspelde

me, voor we weggingen, zeeën van vrije tijd en ik had vier boeken over liefde, geluk, rijkdom en blauwe ogen in mijn tas gestopt. Maar tot nu toe was ik er niet aan toegekomen.
Ik moet een plaatsje zoeken, dacht ik, waar ik alleen ben. Waar ik mijn aandacht bij het verhaal kan houden. Waar ik ongestoord kan lezen. Zonder roepen van Jetske en vragen van Hans.
En het is voor Nan en Jaap ook weleens prettig even met hun gezinnetje alleen te zijn. Altijd een zuster om je heen, een tante...
Ik nam het boek (het blonde meisje op de voorplaat keek de donkere jongeman naast haar diep in de ogen) in de hand en keek even rond. Nan en Jaap lagen met gesloten ogen in de zon, Jetske prikte met een paplepel in een pan met modder en water en Hans had takken en stokjes in het bos gezocht en stapelde die nu op elkaar. Aan de vorm te zien werd het een kampvuur.
Ik liep vlug het smalle pad tussen de bomen in en na een paar tellen al was ik voor hen allen onzichtbaar, achter stammen en bladeren verdwenen.
Het was stil in het bos. Boven mijn hoofd kwetterden een paar vogels over inwoning en voedselvoorziening en onder mijn voeten kraakten dode takjes en dorre bladeren. Ik liep verder en verder, stak een breed pad met diepe karrensporen over, liep weer door een stuk bos en opeens stond ik aan een open, wijd heideveld.
Er waren slechts een paar struiken, die grillig afstaken tegen de blauwe lucht en verder waren er de pollen en donkere heide. Het hele terrein glooide een weinig en het lag prachtig, stil, vredig en ruim voor me.
Ik zuchtte van voldoening.
Tegen de rand van het bos, achter me, stond een bank en ik ging daarop zitten. Ik nam het boek in mijn handen en begon te lezen.
Het was interessant en spannend en al heel gauw was

ik alles om me heen vergeten. Het bos, de blauwe lucht, de verre horizon... Ik was het blonde meisje van de voorplaat en wandelde in Verona in gezelschap van de donkere, slanke jongeman. We gingen naar de Arena, waar de opera La Gioconda zou worden opgevoerd en Mario droeg twee kussentjes onder zijn arm, want de marmeren treden van de arena zijn zo hard, zei hij juist. Ik keek met een lieve glimlach naar hem op, maar op datzelfde moment werd ik vreselijk koud. Ik rilde, maakte mijn blikken los van Mario's donkere ogen en zag, in Dwingelo, grote, donkere wolken voor de zon schuiven.
Ik stond op, liep een paar passen van de bank af, keek omhoog, hoog boven de bomen uit zag ik de zwartgrijze luchten, de dreigend wolken, die heel snel over het bos en de heide kwamen aandrijven.
O! dacht ik in paniek, ik moet direct naar het Berenhol! Er komt een vreselijke bui opzetten!
Op datzelfde moment schoot al een felle lichtstraal langs de hemel, na twee tellen gevolgd door een donderend geroffel en nog een tel later vielen de eerste druppels, dik en koud, op mijn rug.
Ik begon door het bos te hollen (het blonde meisje en de donkere jongen platgedrukt onder mijn arm), maar ik wist niet precies meer langs welk pad ik gekomen was.
Als het droog was geweest en zonnig en ik rustig had kunnen nadenken, ja, dan had ik de weg stellig gevonden. Maar het licht flitste fel en zo dicht om me heen... ik was vreselijk bang. Boven de bomen donderde het onweer, de kruinen zwiepten in de opeens opgestoken wind en in minder dan geen tijd was ik drijfnat.
Ik holde maar door. Misschien liep ik wel steeds verder van de camping af, ik had totaal geen gevoel meer voor richting en afstand. Ik was alleen maar bang. En nat en koud.

Op een kleine, open plek in het bos bleef ik even hijgend staan, angstig en wanhopig rondkijkend en opeens zag ik, niet zo heel ver weg, een klein huisje, een zomerverblijf. Het had een raam, een ietwat teruggebouwde deur en een klein, overdekt portiekje.
„In dat portiekje kan ik misschien schuilen!" dacht ik en ik begon weer, met benen die zwengelden van vermoeidheid en nervositeit, te hollen. Naar het huisje.
Het portiekje was wel klein en de tegels op de grond waren kletsnat, maar als ik me dicht tegen de deur drukte, kletsten de druppels toch niet zo hard op me neer. En ik had het gevoel een beetje beschut te zijn, niet zo alleen en kwetsbaar midden in het bos te staan.
Toen ik er vijf minuten stond en de donderslagen iets minder hard en angstaanjagend over het bos roffelden, meende ik dat ik iets hoorde in het huisje.
Nieuwe angst greep me aan. Wie weet wie er in dit huisje woonde! Misschien een kluizenaar, een in zichzelf gekeerde, mensenschuwe man.
Ik deed heel voorzichtig een stap uit het portiekje, schoof vlak langs de muur naar het venster, blikte het huisje in en zag twee grote, blauwe ogen in een smal, wit meisjesgezicht. Ze staarden me bevreesd aan.
Soms gaat men jaren en jaren met dezelfde mensen om en toch blijft men vreemden, soms ziet men elkaar twee tellen en er is een vriendschap voor het leven geboren. Zo was het in dit geval. Ik deed een stap naar voren. Het meisje zag me, de angst gleed weg uit haar grote ogen, er kwamen kleine twinkelingetjes voor in de plaats, het hele gezichtje begon te glimlachen en twee tellen later al hoorde ik een sleutel in het deurslot draaien en ging de deur open.
„O, kom binnen! Kom vlug binnen!" wenkte het meisje en ze trok me bijna het huisje in. Ze sloot de deur zorgvuldig achter me.
Ze was ongeveer van mijn leeftijd. Ze droeg een lange,

zwarte pantalon, bruine sandalen, een dun, donkerrood truitje en ze had een lief gezichtje.
„Ik heet Myra," zei ze, „Myra van Brandenburg. Ik ben altijd heel moedig, al zeg ik het zelf, maar het afgelopen kwartier heb ik doodsangsten uitgestaan. Er is hier iets gebeurd, wat me bang heeft gemaakt, toen kwam dat noodweer boven het bos en daarna iemand die tegen de deur duwde." Ze lachte ontwapenend naar me, kennelijk dolgelukkig dat ik het maar was, een verregend, koud meisje.
„Je bent helemaal nat," zei ze, ze kwam even aan mijn doorweekte bloesje, „en je rilt. Je kunt wel ziek worden! Kom, droog je af. Of nog beter: doe droge kleren van mij aan. Hoe heet je?" Ze ging me al voor naar een slaapkamertje, dat aan de achterkant van het huisje lag.
Ik noemde mijn naam en vertelde van mijn zus en zwager in het Berenhol op de Bosrandcamping, terwijl ik mijn natte kleren uittrok en droog goed, zelfs ondergoed, van Myra aantrok. We vonden het allebei heel gewoon. Want het was alsof we elkaar al jaren kenden. Myra hing mijn natte bloesje aan een plastic hangertje boven de wasbak en luisterde intussen naar mijn verhaal. Ze knikte. Ze kende de Bosrand-camping wel.
„We zijn er gisteren nog langs gewandeld," zei ze, „toen voelde ik me nog zo gelukkig. Weet je, Ine, ik had me zoveel voorgesteld van deze pinksterdagen. Ik heb een drukke werkkring en het leek me zalig er een paar dagen uit te zijn. In een huisje in het bos te wonen. En niets behoeven te doen. Want mijn vader doet alle boodschappen en moeder zorgt voor het eten. Ik veeg alleen 's morgens even de vloer. En ik trek mijn bed recht. Verder niet. En het is hier zo rustig. Geen machines die gieren en krijsen. Geen auto's, geen trams, geen bromfietsen..."
Ze keek, vanaf haar bed, goedkeurend toe hoe ik me in

haar warme trui hees en hoe leuk haar geplooide rok stond.
„Maar het is allemaal heel anders gelopen,” zei ze, „het is helemaal niet zo leuk. Want weet je, Ine, er is bij ons ingebroken. Nee, ingebroken is er niet. Er is alleen iets gestolen. Gisteravond is er iets gestolen.”
Ik verschoot van kleur, greep de rand van de wasbak achter me met trillende vingers vast en herhaalde haar woorden: „Gestolen... gestolen...”
„Ja,” Myra knikte, „daarom zijn mijn vader en moeder nu naar het dorp. Naar de politie. Ze zijn er vanmorgen ook al geweest. Ik moet thuisblijven. En op verdachte personen letten. En daarom was ik zo bang toen er iemand tegen de deur duwde.”
„En jullie weten natuurlijk nog niet wie er ingebroken heeft,” zei ik, „de diefstal is nog niet opgelost, de dader nog niet gepakt...”
„Nee,” zuchtte Myra, „ik weet het tenminste nog niet.” Ze steunde met haar handen op het bed.
„We waren niet thuis,” vertelde ze, „we maakten een avondwandeling over de heide. Vader had de deur niet op slot gedaan, want mijn broer zou ons misschien komen opzoeken. Als de deur dan los was zou hij in de Boshut kunnen komen en hij zou begrijpen dat we maar eventjes weg waren. Hij zou op ons wachten.
Maar toen we gisteravond terugkwamen, toen we het licht aandraaiden, toen zagen we het alle drie tegelijk: het geldkistje was weg!” Ze keek naar de kantjes van haar onderrok, die onder de geruite plooien om mijn benen uitwipten. „Ik weet niet hoeveel geld er in de kist zat, daar praat vader nooit over,” vervolgde ze op zachte toon, „maar het kistje alleen al is ons veel waard. Het is nog van mijn overgrootvader geweest. Het is al jaren en jaren in de familie. Het kistje is ongeveer zo groot,” Myra gaf met haar handen de maten aan, „en het is geheel beslagen met koper. Het deksel

is kunstig bewerkt. Sint-Joris en de draak staan erop en het glanst prachtig, want moeder poetst het bijna elke week. Het is een pronkstuk en nu is het weg. Verdwenen. We hebben nog gezocht, of vader het per ongeluk niet op een andere plaats had neergezet, maar dat was vrijwel onmogelijk. Het kistje stond, nu we in dit huisje zijn, op een klein kastje in de kamer. Het kistje heet de schatkist en dat kastje hebben we direct het geldkistkastje genoemd. En nu is het weg." Ze opende de deur naar de kamer. We keken allebei naar de lege plaats op het kastje.
„En hebben jullie geen idee," vroeg ik, „wie het geweest kan zijn? Was er niemand aan de deur, gisteren of zo? Iemand die in het huisje heeft rondgekeken, die het kistje heeft zien staan en die dacht: daar zit geld in."
„Och nee," zei Myra, maar ze dacht er toch over na, dat zag ik. „Wie komt hier in huis? Niemand. Vanmorgen een mevrouw uit een zomerhuisje, ginds, gisteravond de postbode en dan de man die voor de vuilnisemmer zorgt. Anders niemand."
We gingen terug naar de kamer. Ik voelde me heerlijk in de droge kleren. „Luister eens," zei ik, „wij hebben gisteren en vanmorgen ook iets vreemds beleefd." En ik vertelde Myra van ons bezoek, in maart, aan Hiswa-Goed Kamp om een tent uit te zoeken, van de jongen die toen plotseling ons gesprek afluisterde en die we nu, hier in Dwingelo, plotseling terugzagen op de camping De Bosrand. Met zijn sheltertje onder de bomen. En ik vertelde van de tekening die Hans vanmorgen in zijn tent had gevonden.
„Zou er..." hakkelde Myra, „zou er verband bestaan tussen de diefstal bij ons, het bespioneren, want zo mag je het toch wel noemen, bij jullie en die man in dat tentje?"
Ik haalde mijn schouders op.

„Ik weet het niet," zei ik.
Toen ik opkeek zag ik een grote, stevige man op het huisje toestappen. Hij werd gevolgd door een slanke donkere vrouw.
„Mijn vader en moeder!" juichte Myra opgewonden. Ze sprong van de tafel en rende naar de deur om hem te openen.
Mevrouw en meneer Van Brandenburg keken me onderzoekend aan. Ik droeg een trui en rok van Myra en mijn voeten voelden zich echt thuis in haar warme, wollen sokken. Myra had ze eigenhandig aan mijn tenen geschoven, terwijl ze praatte over longontsteking en hoge koortsen.
„Is er nog nieuws?" vroeg Myra hen al in de deur, „is ons kistje terecht?"
Maar mevrouw Van Brandenburg schudde zachtjes en bedroefd haar hoofd. „Nee kindje," zei ze, „zelfs geen enkel spoor."
Toen stonden ze in de kamer.
„Moeder, vader," stelde Myra mij nu voor, „dit is Ine Scholten. Ze kwam hier schuilen voor de regen. Ze werd door het onweer overvallen toen ze op het heideveld achter het bos was."
„Arm meiske," zei mevrouw Van Brandenburg vol medeleven, ze keek bekommerd naar me. Maar meneer Van Brandenburg vertrouwde me niet. Hij zag meer de handlangster van de dief in me, de spionne, speurend naar nog meer kisten met goud, koper en draken beslagen. Hij loerde naar me. Mogelijk had men op de politiepost gezegd: „U moet iedereen wantrouwen." En hij begon met mij.
„Ik moet naar huis," zei ik opeens zenuwachtig, „m'n zus en haar man zullen wel vreselijk ongerust zijn!"
„Ja kind, ja," viel mevrouw spontaan als een begrijpende vrouw bij en Myra zei: „Kom even in m'n kamertje," ze stapte al naar de zachtgele deur, „misschien zijn je

eigen kleren…” Ik volgde haar op de voet.
Myra sloot de deur zorgvuldig achter zich en ging er met haar zwarte broek tegenaan staan.
„Luister,” fluisterde ze heel zacht, „mijn vader staat nu aan de andere kant van de deur met zijn oor tegen het hout gedrukt, want hij vertrouwt je niet, dat zag je zeker wel. Vertel alsjeblieft niets over die jongen in de tent, want mijn vader stapt zo op hem af. Hij zei vanmorgen al dat de politie dit geval van diefstal wel nooit zal kunnen oplossen. Hij zou het zelf wel uitzoeken. Vanmorgen was hij een gewoon agent, maar als ik nu naar zijn gezicht kijk, geloof ik dat hij zich het hoofd van Scotland Yard in Nederland waant.”
Ik knikte. „Misschien,” siste Myra nog, ze keek angstig naar de deur achter haar, „misschien kunnen wij samen deze diefstal oplossen. En de dief in de tent ontmaskeren. Wij weten van deze twee gevallen af. Het geldkistje hier en een plattegrondschets van jullie tent daar. Zullen we het proberen, Ine? Ik vind het vreselijk politieagenten en rechercheurs in huis te hebben.”
„Als we maar niet 's nachts het bos in moeten,” huiverde ik, „sluipen of op wacht zitten, want ik ben doodsbang in het donker buiten.”
„Wel nee,” meende Myra, „gezond verstand, dat is het voornaamste. Nadenken en combineren, dat is heel belangrijk in zulke gevallen. Ik lees heel veel detectives en het is dikwijls een kwestie van nadenken.” Ze keek me ernstig aan. „Houd mijn kleren maar aan,” zei ze dan met stemverheffing, „alles is nog drijfnat.”
Myra opende de deur. Mevrouw Van Brandenburg zat op een stoel bij de tafel en keek naar buiten. Het regende bijna niet meer. Meneer stond stoer en groot midden in de kamer.
„Ik breng je even weg,” zei hij, hij greep al naar zijn jas, „waar moet je zijn?”
Toen riepen buiten luide stemmen: „Ine! Ine! Ine!”

Myra, mevrouw Van Brandenburg en ik holden alle drie naar de deur en rukten tegelijk aan de knop om hem open te trekken.
„Hier! Ik ben hier!" gilde ik op het smalle pad voor het huisje. De vogels in de bomen keken verschrikt over de rand van hun nest bij zoveel stemgeluid. Myra riep: „Oehoe! Oehoe!" en mevrouw Van Brandenburg zwaaide met haar armen in de lucht en schreeuwde: „Ja! Deze kant op! Ja!"
Na drie minuten kwamen de eerste gestalten tussen de bomen vandaan. Stoere mannen van de camping in jacks en dikke truien, gevolgd door vrouwen in regenjassen en met plastic kapjes op hun hoofden. Voorop draafde Jaap.
„Ine!" Hij snelde met een rauwe kreet op me toe en sloot me ontroerd in zijn sterke armen. Ik rook dat zijn trui nat was en ik voelde zijn hart in mijn hart kloppen.
„O kind," zei Jaap, „wat hebben we een vreselijke middag gehad! Wat een angst! En jij?" Hij bekeek me beter. „Had jij zo'n jumper aan en zo'n rok?" vroeg hij.
Inmiddels was er een grote kring zoekers en speurders om ons heen gekomen en ook Nan, helemaal bleek huilend, strompelde naderbij. Ze had me al door de bliksem getroffen of ontvoerd gewaand en nu stond ik voor haar, blozend en gezond.
„O, Ine," snikte ze, ik hoorde er haar oprechte liefde voor mij in doorslikken, „o, Ine, wat heerlijk dat je er nog bent!"
„Waar zijn de kinderen?" vroeg ik nu ook een beetje ontroerd.
„We hebben alle kinderen van de hele camping in één tent verzameld," vertelde Jaap, „en daar past meneer Wallinga nu op hen. Alle mannen en vrouwen zijn spontaan gaan zoeken, toen wij vertelden dat jij alleen weggegaan was en door het noodweer moest zijn overvallen. We hebben het hele bos doorkruist."

Ik zweeg ontroerd bij zoveel saamhorigheidsgevoel. Het was dus toch zoals Jaap ons al gezegd had: op een camping is men één in geval van nood en angst.
„Laten we vlug naar De Bosrand teruggaan," stelde een klein, tenger vrouwtje voor, „het is voor meneer Wallinga een hele zorg, zoveel kinderen en hij weet ook nog niet dat Ine terecht is!"
Jaap, Nan en ik bedankten allen nu alvast voor hun hulp, hun medeleven... „Ja! Ja!" ze wimpelden het lachend af. „Je bent weer veilig en wel boven water na die vreselijke bui!" riepen ze, „we zien elkaar nog wel op de camping!" en ze trokken door het bos weg. Lachend, pratend en opgelucht.
We keken hen na. Toen bedankten we ook de Brandenburgers voor hun gastvrijheid. „En de kleren," zei ik tot Myra, „kom ik morgenochtend terugbrengen, is dat goed? Ik durf vanavond het bos niet meer door!"
Myra knikte naar me. „Tot morgenochtend," zei ze, „ga om tien uur van de tent." Ze zwaaiden ons na.
We liepen door het bos. Zwijgend. We waren alle drie in gedachten. Jaap en Nan dachten misschien nog aan hun angsten en zorgen om mij. Ik dacht aan het kistje dat gestolen was uit de Boshut en aan de jongen met de donkere ogen. Hij was niet bij de kampeerders die mij gingen zoeken. Zou hij vertrokken zijn?
Maar nee, zijn tentje stond nog onder de druipende bomen zag ik, toen we de camping bereikt hadden. De tent was gesloten. Aan de scheringen hingen drijfnatte handdoeken.

HOOFDSTUK 6

Het werd een nare avond in de tent.
Het regende niet meer, maar de grond op de camping was nog kletsnat, de tent was drijf en het was koud.
„We gaan binnen eten," stelde Nan voor. We huiverden naast elkaar op het grondzeil
„De grond is zo hard," klaagde Jetske, „ik ga op mijn deken zitten. Hadden ze in dat huisje daar stoelen, tante Ine, en kon je daar rechtop lopen?"
„Natuurlijk," zei ik, „en uitkijken door de ramen en het water stroomde uit een kraan."
Het kind keek verlangend door de tentopening naar de verte.
Het brood, dat we toch in plastic zakken bewaard hadden, was vreselijk hard geworden en Nan verlangde naar de broodrooster.
„Hebben we niet iets warms op de boterham?" dacht Jaap. Hij haalde onze provisiekast leeg. „Een blik worstjes. Die zal ik opwarmen. En eieren om te bakken. Ik doe het onder de luifel."
„Daar is het ook kletsnat," wist Hans, „uw voeten zakken vijf centimeter in de prut. En wat gaan we vanavond doen? Weer de hele avond in de tent zitten? Daar is niets aan."
„Ik heb het jullie vooruit gezegd," begon Nan, „het is saai en vervelend in zo'n tent. Niets te beleven." Ze dacht beslist weer aan het hotel in Italië. Een orkestje dat 's avonds in de tuin speelt, een wandeling langs het lieflijke haventje van Garda, een glaasje wijn drinken op een terrasje in een leuk, vlot jurkje en met mensen waarmee je lachen en praten kunt omdat alles zo heerlijk is.
„Jaap," vroeg ik, „wat deden jullie vroeger zo'n hele avond in de tent?"
„Slapen," zei Jaap, „wij fietsten de hele dag en als we

gegeten hadden en zo, dan gingen we slapen."
„Nou, daar is ook wat aan!" hoonde Hans, „we hebben vandaag eigenlijk niets gedaan. De hele middag in de tent gezeten toen het zo regende en nu gaan we voor de verandering de hele avond ook weer in de tent zitten."
„Stil maar, jochie," troostte Nan, „we gaan weer gauw naar huis."
Jaap balanceerde met de koekenpan. De eieren zweefden bleek van schrik boven het natte gras.
„Is die jongen," ik fluisterde een beetje en wees in de richting van het bos, „is hij nog terug geweest vandaag?"
„Nee," zei Nan, „we hebben hem niet meer gezien. Misschien is hij ook wel door het noodweer overvallen, is hij ergens gaan schuilen of zo."
„Dat kan, ja," knikte ik.
Toen we de bordjes in een plastic emmer lieten zakken, Hansjes afwastrekdoos was door de regen doorweekt, hoorden we een scooter naderen.
„Dat is hem!" riep Hans gesmoord. Hij ging op zijn buik voor de tentopening liggen.
De scooter huppelde over het gras naar de bosrand, de jongeman stapte af, deed voorzichtig zijn tentje open, haalde het grote pak, dat weer of nog steeds achter op de bagagedrager zat, eraf en verdween in de tent. De rits schoof dicht. Na drie minuten ging het lampje in het bostentje aan.
Toen we na een half uurtje buiten stonden, in lange broeken, dikke sokken en wollen truien, verscheen Frank ook op het natte gras.
„Goedenavond," begroette hij ons, hij wandelde in onze richting, „wat een noodweer hebben we vanmiddag gehad, hè? Hebt u de hele middag in de tent moeten doorbrengen?"
„Ja," zei Jaap, „we hebben in de tent..." maar Jetske

kwetterde al: „En tante Ine was verdwaald in het bos! Toen het zo lichtte en zo donderde was ze helemaal alleen tussen de bomen!"
Ik zag zijn ogen groot worden, oplichten, hij keek me even recht aan. Er was iets van nieuwsgierigheid in zijn blik, dacht ik, iets geamuseerds ook. Hij vroeg: „En… hoe is dat afgelopen? Bent u erg nat geregend of kon u ergens schuilen?"
„In een zomerhuisje," antwoordde ik, „gelukkig maar, want het was vreselijk. Het regende zo hard en dat weerlicht boven het bos, brr…" Ik rilde nog.
„En toen?" vroeg Frank verder, „toen het niet meer zo hard regende? En u hier, op de camping?" Hij keek nu naar Nan en Jaap.
Nan vergat bij de herinnering aan de ellendige middag haar gereserveerdheid tegenover de man die een tekening van onze tent in zijn tent bewaarde en ze vertelde hem honderd uit over de speurtocht door het bos en van de mede camping-regengenieters, die zo goed hadden geholpen om het verloren schaap te vinden. Allemaal soppend door het bos. En toen zei Nan, dat ik in een huisje 'daar ergens', ze wees naar de bomen, was geweest. Frank wilde het precies weten. Hier achter het bos, een stukje over de heide en dan komt men bij een paar zomerhuisjes.
„Heet dat huisje De Merel?" vroeg Frank. Hij noemde op goed geluk een naam, dat voelden we aan. We zwegen dus, maar Jetske gaf het antwoord al: „Nee, de Boshut," zei ze.
„Zo, zo," Frank lachte, ik zag zijn witte tanden, „dat was een heel avontuur."
„Nu kan ik er ook wel om lachen," zei ik, „maar vanmiddag voelde ik me ellendig. En dat al die mensen in de stromende regen…"
Frank knikte. „Ja," zei hij ernstig, maar ik geloofde, dat hij het helemaal niet zo erg voor me vond, een middag

alleen in de regen. Die jongen moest toch een misdadige aanleg hebben.
Toen Jetske sliep, met verwarde haren en twee rode, bolle wangetjes tegen de wollen deken gedrukt, kropen we in een klein kringetje om de kaars. De tentrits was goed dicht, de losse slip zat met een haring in de grond en drie blikken etenswaren stonden op het randje voor de tocht.
„Het is net een rovershol," glunderde Hans. Hij zat, helemaal in zijn deken gerold, rechtop op het grondzeil, „en ik geloof dat we echt iets gaan beleven."
„Wel nee jongetje," Jaap stak een sigaret op, „wat moet er nu op zo'n rustige, stille camping gebeuren?"
„Nou, pappa zei zelf, dat het gek is, dat die man een tekening van onze tent in zijn Muizenval heeft," hield Hans het avontuur vast.
„Dat is zo," Nan gaf hem gelijk, „dat is ook gek. We moeten er maar eens over praten. Maar eerst gaan we koffie inschenken."
„Ja," zei ik, „rovers en speurders kunnen niet nadenken als ze geen sterke, zwarte koffie hebben gedronken."
Ik gleed over het grondzeil naar de suikerbus en de melkfles en Nan wiebelde met de koffiepot. Het kaarsvlammetje danste onrustig heen en weer.
Toen de koffiekommen leeg waren en we elk een grote koek uit een ronde bus hadden opgekauwd, zei Jaap: „Laten we beginnen bij de tentoonstelling van Goed Kamp. Daar bekeken we het Berenhol. Frank bekeek een tentje naast het Berenhol. Mag hij dat?"
„Natuurlijk," zei Nan vol begrip voor de vrijheid van de mens, „maar hij luisterde ons gesprek vreselijk af. Zijn oren prikten gewoon in mijn rug."
„En hij had belangstelling voor ons," zei ik, „want toen we nog even over die tent wilden nadenken en dus verder liepen, toen liet Frank de Muizenval ook in de

steek. Maar hij had, als hij werkelijk idee in dat ding had, zich toen tot de standhouder kunnen wenden om verdere inlichtingen of zo. Maar nee, hij holde achter ons aan."
„Precies," knikte Nan, „en hij begon met jou te praten, Jaap, en toen jij hem uitnodigde voor een kopje koffie, ging hij direct mee. En als je het nu achteraf goed overdenkt, was jij het, die toen praatte over kamperen en trekken. Hij niet. Hij luisterde maar."
„Goed, goed," Jaap gaf de feiten toe, „en daarna... Ik belde op naar de tentenfabrikant om extra scheerlijnen, ik kreeg de boekhouder aan de telefoon en de volgende dag belde de verkoper die op Goed Kamp had gestaan, om te vertellen dat we naar de camping in Dwingelo moesten gaan. Klein en knus en leuk en weet ik wat nog meer."
„We rijden naar Dwingelo," zei ik, „en wie zien we? Frank van de Muizenval."
„Ja," Nan zuchtte als een kwaadsprekende vrouw, „het is wel heel, heel toevallig."
„En dan vanmorgen, toen Hans die tekening in zijn tentje ontdekte. Een tekening van alles in ons Berenhol. Dat is toch wonderlijk!"
„Ja. Als iemand tekenen wil zal hij de heide tekenen of de bossen. Of een huisje langs een weggetje, de kerk van het dorp... of weet ik veel wat, maar je tekent toch niet de rommel in een ander zijn tent!" Ik was gewoon verontwaardigd.
„Schreeuw niet zo," zei Nan, „misschien luistert hij wel aan de tentdoekmuur."
Hans sloeg de deken al terug en kroop over de grond naar de uitgang. Hij ritste de tent open, keek links en rechts, maar alles was stil. „Hij zit nu hier," Nan fluisterde en wees naar de achterzijde van de tent. Hans sprong op, schoot in mijn houten kleppers, die onder de luifel stonden en rende om de tent heen. Hijgend

stoof hij weer naar binnen. „Alles is donker," zei hij, „er is niets te zien. Maar in het tentje in het bos brandt nog licht."
We schoven de tent weer dicht, Hans hulde zich opnieuw in de deken en Nan schonk nog eens koffie in. „Ik zou me nog niet zo ongerust maken over Frank en die tekening," begon ik nu zachtjes, „als Myra me vanmiddag niet iets vreemds, iets belangrijks had verteld." Ze keken me alle drie met grote ogen aan en luisterden vol belangstelling. „Uit hun zomerhuisje is iets... Nan begin niet te gillen, uit hun huisje is iets gestolen! Hun geldkist. Het is een met koper beslagen kistje met een mooi bewerkt deksel."
„Ine, nee!" riep Jaap, „is het heus waar? Hebben die mensen er aangifte van gedaan bij de politie? En wanneer is het gebeurd? Gistermiddag? Gisteravond? Nee, hoe is het mogelijk!"
We bleven even stil zitten. De spanning hing in de tent. Hans keek met grote ogen in het kleine kaarsvlammetje. Hij had al veel jongensboeken gelezen, de avonturen van de kinderen bladzijde voor bladzijde meebeleefd, maar nu was het echt. Hij dacht diep na.
We moeten op hem letten, peinsde ik, misschien wil hij, net als de jongens in die boeken, de raadselen tot een oplossing brengen en wie weet in welk een moeilijkheden het kind zich dan stort.
„Als je zo alle dingen opnoemt," zei Nan nu zacht, „is er toch wel iets vreemds aan die Frank. Ik dacht heus nog steeds, dat we ons voor niets zorgen maakten. Ik vind hem helemaal geen type van een... een dief of zo. Hij heeft een intelligent gezicht en hij kijkt je recht aan en..."
„Daaraan kun je juist zien," dacht Jaap leuk, „dat het een doortrapte schurk moet zijn. Hij is over elk gevoel van schaamte en berouw heen. Hij kijkt je lief aan, praat met je en vannacht haalt hij je portefeuille onder

je hoofdkussen weg. Hij weet precies onze tentindeling, dankzij die tekening. In één greep heeft hij de tas te pakken! Maar dat zullen we veranderen!"
„We leggen de kinderen in het midden," ik keek de tent al rond, „Jaap gaat bij de opening slapen en Nan en ik aan de achterkant."
„Ik heb het gevoel," zei Nan, ze greep naar haar keel, „dat er vannacht iets naars gaat gebeuren."
„Misschien snijdt hij het tentdoek wel stuk," dacht Hans optimistisch, „en stapt hij zo naar binnen. Dat heb ik eens gelezen. Schurken deden dat. Ze spoten een bedwelmend middel naar binnen en roofden alle kunstschatten weg. Dat was in de Sahara. Bij zo'n volk dat in tenten leeft."
„Zo'n vaart zal het hier niet lopen," meende Jaap, „maar we kunnen Jetske en Hans wel midden in de tent leggen."
We bleven nog even zitten. Ik dacht aan Frank. Zijn donkere ogen, die me die avond in de RAI zo hadden aangekeken en die me ook vanmiddag, toen Nan hem vertelde van het noodweer en de angst, zo scherp hadden opgenomen. En zou hij... op deze camping, de tekening, de geldkist... Ik huiverde.
Hans vroeg om nog een koek en Jaap wilde koffie. Nan haalde de pot onder de stapel oude kranten, die onze hooikist vormden, vandaan.
„En nu gaan we toch eerst maar slapen," stelde Jaap voor toen de koffiepot totaal leeggewrongen was, „want we kunnen niet de hele nacht op blijven zitten uit angst dat er iemand onze tent besluipt."
„Maar áls hij het doet," zei Hans strijdlustig, „als hij het doet, grijpen we hem, hè pap? En als die Frank dan door de politiemannen wordt weggevoerd, dan hebben wij nog een paar lekkere, rustige dagen! Hebben ze wel een gevangenis in Dwingelo?"
We legden de kinderen in het midden van de tent, Nan

schoof naast hen en ik rolde me in de deken en lag op het luchtbed bij het zachtwiegende tentdoek.
Jaap blies de kaars uit. Een nare lucht bleef in de tent hangen. Jaap deed de rits even open. „Er brandt nog licht in de bostent," berichtte hij.
We sliepen allerakeligst. Ik lag uren wakker en luisterde naar de wind in het bos, het geklapper van de luifel en het tikken van de regen.
Toen ik eindelijk indommelde en droomde van een reus die de bomen in het bos omver liep alsof het cocktailprikkertjes waren en die boven op onze tent wilde stappen, werd ik weer met een gil wakker. Er stond iemand in onze tent! Ik vloog overeind. „Jaap!! Nan!!"
Ik schudde de deken van me af en greep naar de benen van de man, die gebogen stond over onze koffer. Maar een stem zei: „Stil, stil Ine, ik ben het, Jaap. Ik ben even naar buiten geweest om te kijken of er onraad was en nu zijn mijn voeten kletsnat: weet jij een handdoek?"
Ik knielde naast zijn natte tenen bij de koffer.
„Jaap!" gilde Nan toen in het donker, „Jaap, er zijn mensen in de tent!"
„Stil," sisten we allebei, „wij zijn het maar. Jaap heeft kletsnatte voeten, want hij heeft even buiten gekeken en nu zoeken we een handdoek."
Nan hield haar hand op haar hart. „Was… was er onraad?" vroeg ze bibberig.
„Ja. Er zitten drie schurken voor de tent," wilde ik zeggen, maar Jaap zei al: „Nee hoor vrouwtje, alles is rustig buiten. Het waait en het regent een beetje, maar de camping slaapt en er is niemand te zien." Nan zuchtte opgelucht.
We kropen weer in de dekens. Ik sliep onrustig en naar en om halfzes was ik klaar wakker. Nan, naast me, had haar ogen ook al wijd open.
„Wat een nacht!" fluisterde ze, „wat een vreselijke nacht. Vind jij het ook niet verschrikkelijk in zo'n tent?

In een huis kun je de deuren nog afsluiten, maar in zo'n doekendoos! Ik heb de hele nacht het gevoel gehad dat er iemand binnensloop. Vreselijk! Maar het is nu gelukkig weer licht buiten. Het lijkt wel lelijk weer, of zou dat door het tentdoek komen?"
Ik kroop naar de uitgang, deed de rits los en gluurde naar buiten. De lucht was heel ijlblauw, de zon was nog niet op maar wel wakker en in het bos zongen en tjilpten de vogeltjes dat het een lieve lust was.
„Kom, Ine!" riep mijn zus me terug, ik mocht niet eens even van deze morgenstemming genieten, „straks hebben we de hele tent wakker en wat moeten we de hele dag weer uitvoeren!" Ze zuchtte.
„Laten we een ochtendwandeling gaan maken," stelde ik voor, „naar de heide. Het is zo heerlijk fris buiten na de regen van gistermiddag en vannacht."
Maar Nan wilde er niet van horen. „We laten de tent niet onbewaakt op de camping achter," zei ze afgemeten, „alvorens alle raadselen hier zijn opgelost."
Ik haalde mijn schouders op. Wat viel er te stelen als Jaap de portefeuille met geld en de papieren bij zich stak? Een deken, een blik soep of een stukje Edammer kaas!
Maar Nan keek strak. Ze kroop weer onder de deken. Ik ging in mijn pyjama in de tentopening zitten. Het was nu heerlijk buiten. Het bos geurde zo verrukkelijk, er hingen nog dikke dauwdruppels aan de bladeren en aan de dunne takjes. Ik luisterde naar de vogels, die speciaal voor mij hun morgenlied nog eens herhaalden.
Het was stil op de camping. Ergens ver weg, bij een huis langs de rijweg, blafte een hond. Ik sloot mijn ogen en snoof de fijne, zuivere morgenlucht op. Toen ik mijn ogen weer opende zag ik de bewoner van het bostentje. Hij zat op de grond. Te genieten. Hij stak even zijn hand op. Ik vluchtte naar binnen.

HOOFDSTUK 7

Het ontbijt werd een drama.
Jetske zeurde dat het brood keihard was. En Nan wilde helemaal niet eten.
Jaap kookte eieren, ze werden veel te hard en Hans mikte een kom thee om. We ruimden de tent op.
„De luchtbedden kunnen we nu wel leeg laten lopen, hè Jaap?" vroeg Nan, „want we gaan hier toch vandaag wel heel vlug vandaan. Na zo'n nacht vol angst en onrust. Vanavond slapen we weer heerlijk thuis." Het klonk als een triomf.
Maar Jaap zei: „Nee, stapel ze nog maar even op. Als ik voor vanavond niet weet hoe het precies zit met die jongen daar in dat tentje, ga ik niet weg. Er zit iets achter. Ik geloof het beslist."
„Misschien," zei ik in een poging om leuk te zijn, „houdt hij ons hier in het oog, terwijl thuis, in Amsterdam, zijn handlangers jullie hele huis leegroven."
Nan dook vertwijfeld tegen de grond. Ze zat gelukkig al op het grondzeil, zodat de klap niet zo hard aankwam. „O, Jaap!" kreet ze, „stel je voor, onze meubelen! Onze tapijten!"
„Och, Ine zeurt maar wat. Bovendien wonen er mensen genoeg naast, boven en tegenover ons huis om dat op te merken. Nee, ik zie er direct geen drama in, maar ik wil weten waarom die jongen zo vreemd doet."
Om tien uur precies ging ik op weg naar Myra. Ik droeg haar kleren in een keurig pakje onder mijn arm.
„Durf je wel alleen door het bos?" vroeg Nan nog. Ze dacht beslist aan het nare avontuur dat Roodkapje met de wolf beleefde. Maar onze wolf, in de vorm van Frank, was om een uur of negen vertrokken. Lopend. In de richting van het dorp. Hij liep met flinke passen. In de rechterhand hield hij zijn pijp en in de linker het grote pak.

„Waarom zou ik bang zijn?" vroeg ik, „er zijn zoveel mensen in het bos."
Nan oogde me met een bezorgd zusterhart na.
Ik liep langs het smalle pad door het bos, kwam bij de heide en daar stond Myra. Ze droeg een schattige, roze zomerjurk en ik vond haar knap.
„Dag!" begroette ze me blij, „luister eens: die jongen is zo pas bij ons langs gegaan!"
Ik keek haar verbaasd aan. „Weet je het zeker?" vroeg ik. Myra knikte. „Hij was donker," zei ze, rookte een pijp en hij had een pak onder zijn arm. Hij keek ontzettend naar ons huisje. Het viel mijn vader op. Die zit voortdurend voor het raam te kijken naar verdachte personen. De politie heeft nog geen spoor van ons koperen kistje gevonden."
„Hoe lang is het geleden dat Frank langs de Boshut is gekomen?"
Myra dacht na. „Een minuut of tien," zei ze, „ik ben direct nadat hij uit het gezicht verdwenen was naar hier gekomen om het je te zeggen. Wat moeten we doen?" Ze keek me dringend aan.
Ik keek over de heide. Ik wist het niet.
„We moeten hem achternagaan," zei Myra, haar gezichtje was nu dicht bij me, „we moeten hem volgen! Kom vlug! Hij is langs het heidepad gegaan!"
We holden over de heide. Een stukje door het bos, we liepen langs de Boshut.
„Rustig nu," gebood Myra, toen we vlak bij het huisje waren, „want anders krijgt mijn vader argwaan. Hij verdenkt ieder hondje dat voorbijkomt en zijn kopje met interesse naar de struiken voor onze deur wendt, van medeplichtigheid."
Uit het gezichtsveld van meneer Van Brandenburg begonnen we weer vlugger te lopen. We sloegen het pad in, waarin Myra Frank had zien verdwijnen en toen dwaalden we in een kring om de Boshut heen. We

maakten de kring steeds kleiner en na een poosje, toen we weer vlak bij het huis waren, trok Myra me aan mijn arm. „Kijk daar!” fluisterde ze. We tuurden door de bosjes en daar zat, een meter of tien voor ons... Frank. Hij had iets op zijn schoot, een schetsboek of een vel tekenpapier en hij scheen het huis, de Boshut, dat hier vandaan zichtbaar was, na te tekenen.
We bleven enkele minuten doodstil staan. We durfden ons niet te bewegen en we durfden niet dichterbij te komen. Wie weet wat hij, als hij ons zag, zou doen!
We slopen weer terug. Heel voorzichtig. We keken schichtig om bij elk geluidje, maar Frank besteedde geen aandacht aan het zachte geritsel van de takken en bladeren.
Toen we zover van hem af waren, dat hij ons niet meer zien en horen kon, gingen we op de wel wat vuile grond zitten.
„Wat moeten we nu doen,” zuchtte ik.
„We blijven hier zitten tot hij weggaat,” zei Myra, „en dan volgen we hem weer.”
We bleven dus zitten. Af en toe sloop één van ons op handen en voeten door de bosjes om te kijken of Frank er nog wel was. Hij tekende rustig door.
In afwachting van wat er verder zou gebeuren vertelden we elkaar over ons dagelijks leven. Ik vertelde van de Kunstnijverheidsschool, waar ik studeerde en Myra vertelde van het atelier waar ze werkte. Het atelier van Cora Krone, de pottenbakster. Zij, Myra, hielp bij het glazuren en het beschilderen van de vazen, kannen en schalen. En ze verkocht ze in het kleine, overvolle winkeltje aan de toeristen en aan de mensen die zo graag iets aparts, iets bijzonders wilden hebben.
„Ik heb het erg druk,” zei Myra, „want Cora Krone heeft alleen maar artistieke kwaliteiten. Ze bekommert zich niet om geld, denkt niet aan rekeningen en ze piekert niet over de boekhouding en de belastingpa-

pieren. Daar moet ik voor zorgen."
Ik knikte. Het moest een hele drukke baan zijn.
„En ik had me zo verheugd op deze pinksterdagen. Ik zou de gehele dag in de zon liggen, heerlijk uitrusten en misschien wel een leuke jongen ontmoeten."
„Heb je weleens een vriend gehad?" vroeg ik.
„Ja," antwoordde Myra, ze boog zich over haar bruine benen en krabde een puistje open, „ik had een vriend. Hij was heel knap en ik hield veel van hem. In het begin zagen we elkaar en we gingen veel samen uit. Iedere avond werkte ik in het kantoortje achter het atelier van Cora Krone om de administratie bij te krijgen en dan kon ik zijn auto voor de winkel horen stoppen. Ik wachtte eigenlijk elke avond op hem. Maar hij kwam steeds minder vaak. Hij studeerde 's avonds, zei hij of hij moest overwerken. Later hoorde ik dat hij met een ander meisje uitging."
„Wat vreselijk voor je," zei ik meelevend.
„Ik ben er nu overheen. En ik weet, dat niet alle jongens en mannen zo zijn. Er zijn duizenden lieve, trouwe echtgenoten op de wereld. Ga jij nu eens kijken." Ze knikte in de richting van Frank. Ik stond op en liep langs de bosjes. „Hij... hij is weg!" schreeuwde ik verschrikt. Want het plekje, het open stukje gras, was leeg. Myra sprong overeind.
„We hebben hem laten ontsnappen," kreet ze, „of hij had ons toch ontdekt en is, toen wij zo zaten te praten, stilletjes vertrokken. Kom mee!" Myra sloeg de rok van haar jurkje wat schoon, „we moeten hem weer opsporen!"
We liepen over het paadje, we keken links en rechts, maar we vonden Frank niet. We trokken steeds verder het bos in: het was een speld in een hooiberg zoeken. Opeens zei ik: „Stil eens!", want ik hoorde stemmen. We bleven staan. Het geluid was dicht bij ons. We keken rond. Daar, tussen de bomen en tegen de dichte

struiken zaten vier jongens. Ze waren nog jong, twaalf, dertien jaar misschien en hun hoge stemmen klonken hard door het bos.
„Vlug," siste Myra en ze duwde me achter een grote, prikkerige struik. Ik probeerde de prikkers te ontwijken en duikelde bijna in de afgevallen bladeren en takken op de grond. Zelf schoof ze naar een andere struik, vlak naast de mijne.
„We moeten hem open zien te krijgen," zei één van de jongens. Het was een stevige knaap met zwart haar en heel donkere ogen. Hij droeg een donkerblauwe bloes boven een lichte, korte broek en hij had zijn grijze sokken opgerold, zodat ze als ringen om zijn enkels sloten.
„Ja, de kist moet open," zei nu ook een smalle, magere knaap. „Thijs heeft gezegd dat het om de inhoud gaat. Maar de kist mag niet breken of beschadigen."
Ze zaten zwijgend bij elkaar.
We loerden door de bladeren. Ik kon de jongens heel goed zien. Behalve de zwarte en de tengere knaap was er ook een jongen met rood haar en veel sproeten en één met dik, krullig blond haar.
„We moeten een dun, scherp voorwerp zien te vinden," de blonde jongen keek zijn vrienden aan, „een tang of een mes, waarmee we de kist kunnen openwrikken."
„Ja, maar hoe komen we daaraan?" vroeg de Sproet en de anderen echoden hem als de kabouters uit het Sneeuwwitje verhaal. „Ja, hoe komen we daaraan!"
„Dat weet ik nu ook nog niet," moest de blonde jongen zeggen, „maar hier vinden we het in elk geval niet. Laten we verder gaan. Het is trouwens al laat, bijna twaalf uur."
Hij sprong op, sloeg wat modder en takjes van zijn donkere broek af en stapte over het mos. De andere jongens volgden hem. Myra en ik kropen bijna in de struiken en hielden ons doodstil. Stel je voor dat de

knapen ontdekten hoe wij hun gesprek afgeluisterd hadden!
Toen ze ver genoeg weg waren en wij hun stemmen bijna niet meer konden horen, kropen Myra en ik onder de struiken vandaan. Mijn knieën deden pijn van het voortdurend gehurkt zitten en ik had kramp in mijn tenen.
„Denk je, Ine," vroeg Myra, ze wreef ook langs haar lange benen en keek een beetje benauwd, „dat die jongens onze geldkist hebben gestolen?"
„Ze hadden het over een kist," zei ik, „en over de inhoud en over openbreken."
„Zou er," vroeg Myra zichzelf en mij nu heel voorzichtig af, „zou er verband bestaan tussen onze verdwenen geldkist en die jongen in de Muizenval? En als dat zo is, bestaat er dan ook contact tussen deze jongens en Frank? Geeft hij hun opdracht, stelen zij voor hem?"
We liepen achter elkaar over het smalle paadje. Mijn hart klopte in mijn keel van angst. Want ik houd helemaal niet van zulke dingen. En het bos was zo groot en ik kon niet verder zien dan de naaste bomen; wie stonden er achter die stammen daar? Jongens, mannen? Zag ik niet een schaduw, die even bewoog? Was het Frank misschien? Frank die ook wel Thijs heette? En als hij ons zag, als hij ons hoorde praten over een geldkistje en een jongensbende, zou hij dan niet op ons toe springen, ons belagen? Ik trilde op mijn benen en in mijn hoofd bonsde het met forse dreunen. Achter me kwetterde Myra verder. Ze sprak op haar manier zachtjes, dat wel, maar ik kon haar toch heel goed verstaan. Dus een ieder die vlak langs het pad achter een struik verscholen zat, kon haar ook verstaan.
„We vertellen onze bevindingen niet aan de politie," Myra stapte op een grote tak, hij ging krakend en kreunend in tweeën, ik keek schichtig achterom, „we zullen dit zelf wel oplossen."

„Ja," zei ik trillend moedig, „maar hoe wil je dat doen?"
„Daar moeten we nog even over praten. Laten we hier even gaan zitten."
„Nee," ik rilde bij het idee alleen al, „de bomen hebben oren."
Myra keek even omhoog naar de wijde takken en bladeren, dan stapte ze achter me aan verder het bospad af.
„We moeten erover praten, we moeten een list verzinnen, een val uitzetten," begon ze weer, toen we op de heide liepen, „want zo kan het niet te lang doorgaan. Deze diefstal moet snel opgehelderd worden, want anders slaan die boefjes onze geldkist in elkaar. En het is een erfstuk. Bovendien weet ik niet, hoeveel geld erin zit. Paps zegt daar niets over."
Ik knikte slechts.
„Ik kom vanmiddag bij het Berenhol," ging Myra energiek verder, „jij zorgt dat je zus en haar hele gezin vertrokken zijn en dan maken we een plan."
Ik knikte weer.

Toen ik bij de tent kwam was de stemming aldaar tot ver onder het nulpunt gedaald.
Nan had drie luchtbedden op elkaar gestapeld voor de tent en daar zat ze nu bovenop te wiebelen.
„Je lijkt de prinses op de erwt wel," zei ik na de begroeting.
„Ik kan niet meer op die harde grond zitten," deelde Nan met een pruillip mee, „alles doet me zeer. Mijn benen en mijn voeten en in mijn heupen is ook iets verkeerd gedraaid door dat gekruip in de tent."
„Je moet ook op een luchtbed gaan liggen," raadde ik haar aan, „lekker warm in de zon een slaapje doen."
„Ja. En het eten dan?" Nan veerde op de driedubbele luchtlaag, „Jaap ziet er ook geen gat in. Vroeger kon hij acht aardappelen koken, dat ging prima. Vier voor hem

en vier voor Wim Jansen. Maar nu zijn er zestien aardappelen en daar weet hij geen weg mee. Ze passen niet in het kleinste pannetje. En in de grootste pan moet zo'n blik en meer pannen zijn er niet. Groenten kunnen we dus niet koken en de aardappelen moeten in twee keer."

„Dat is leuk," zei ik, „dan eten we in groepen. Of we doen eerst onze buikjes halfvol en na drie kwartier vullen we nog een helft."

„Dat is een idee," zei Jaap blij, „kan dat niet, vrouwtje?"

Het vrouwtje wierp hem een vernietigende blik toe.

„En Jetske is te vies om aan te pakken," begon Nan nu weer over iets anders te jammeren, „ze kliedert maar bij die kranen. Ze drijft gewoon. Jaap wil naar het één of andere dorpje rijden om een kerkje te bezichtigen, maar ik neem de kinderen niet mee."

„Je moet gaan wandelen," zei ik, denkend aan Myra's opdracht mijn hele familie weg te werken, „achter het bos ligt de heide en over de heide is een schaapskooi. Daar moet je heengaan. Myra is er geweest. Het is zo enig, zegt ze en voor Jetske en Hans is het ook leuk. Zoiets zie je bijna niet meer. Nog een paar jaar en de schapen worden geslacht, de schaapskooi in elkaar geslagen en de heide volgebouwd met flats. Dan is het gebeurd." Ik zuchtte tragisch. Nan keek me aan. Ze wist niet, dat ik zo kon treuren om een nog niet verloren natuurreservaat.

„En er is een theehuis, daar ginder," ging ik onver-droten verder, „heerlijke koekjes met crème en zandgebakjes serveren ze bij verrukkelijke thee. En je behoeft je helemaal niet op te poetsen, want er zijn alleen maar stoffige dagjesmensen op de heide en zanderige bewoners van de Morgenster."

„Mams," Hans kwam op zijn blote voeten over het gras geschoven, „gaan we al gauw eten?"

„Nee kind. Je vader weet niet hoe hij het klaar moet

krijgen. En ik bemoei me er niet mee. Paps wist zo goed hoe alles moet in een tent."
„Doe niet zo kinderachtig," zei ik, want we moesten opschieten met het eten, wilde ik hen voor Myra kwam aan de wandel hebben, „hebben jullie aardappelen genomen? Wie schilt ze?"
„Hans," zei Nan sloom vanaf de luchtbedberg, „dat moet hij leren."
Maar ik was bang dat het te lang zou duren.
„Geef maar hier," bood Jaap toen gelukkig aan, „hebben we een schilmesje bij ons? Of nee, ik neem mijn zakmes wel."
„En wat voor groente belieft mevrouw? We eten vandaag geen soep, want daar is geen pan voor. We kunnen vanavond, bij het brood, wel een kroes soep nemen. Doperwten en winterwortelen in blik, hebben jullie daar zin in? En in dit pannetje klop ik eerst pudding, dan giet ik de pudding in de kroezen en daarna maak ik de pan weer schoon om er de gehaktballen in op te warmen. Je moet zoiets met overleg en met verstand doen. Hans, spoel jij de kroezen om. Alle beestjes er goed uithalen, hoor!"

HOOFDSTUK 8

Nan, Jaap en de kinderen vertrokken vroeg in de middag voor een wandeling naar de schaapskooi.
Ik had er geen idee van waar die schaapskooi precies was, misschien was het wel veel te ver weg om naartoe te lopen, maar in elk geval waren zij een poosje van de baan.
„Ga jij niet mee?" had Nan natuurlijk gevraagd, maar ik hing zuchtend een verhaal op over een wandeling die ik die morgen met Myra had gemaakt. Bos door, heide over. Bos door, heide over. Bos door...
„Gelukkig," zei Nan toen opgelucht, „want ik wil de tent niet onbewaakt achterlaten."
Ik legde mijn vermoeide voeten op een omgekeerde kookpan. Nan keek er even naar, wilde beginnen over hygiëne en reinheid, maar direct schoot haar weer de kampeerstatus, waar we op dat ogenblik in verkeerden, te binnen en ze liet mijn tenen uitblazen tegen de koele pan-wand.
Ik lag languit in het gras en keek toe hoe ze monter en kwiek begonnen aan hun wandeling over de heide. De theetent als een lokkend doel aan de verre horizon.
Jetske sprong als een blij hondje om Jaaps benen en Hans zwaaide met een grote stok door de lucht. Straks krijgt Nan een dreun, dacht ik bezorgd.
Ik sloot mijn ogen, zag even een grote, roze vlakte als een donzen deken, voelde me daarin zacht en genoeglijk wegzinken, maar toen sperde ik mijn ogen weer wijd open, want ik mocht niet gaan slapen, niet heerlijk sluimeren in de zomerzon, omdat Nan en Jaap hun onderdak en hun bezittingen aan mijn waakzaamheid hadden toevertrouwd. En die waakzaamheid was wel geboden, want ik was niet alleen op dit stukje camping. Frank was er ook. Hij was in of bij zijn Muizenval.
Ik verlegde mijn voeten even en loerde door kleine

oogspleetjes naar hem. Hij bereidde als een raskampeerder een maaltijd. Hij roerde in een pannetje, dronk soep uit een kroes en ruimde in de tussentijd zijn tent op. Als ik dacht: Wat doet hij nu? opende ik mijn ogen even wijder, maar wanneer zijn blikken dan in mijn richting zwierven, sloot ik ze vlug weer en hield me slapende.

Je moet nu eens goed nadenken, Ine Scholten, sprak ik streng tot mezelf, misschien kun je dan een lichtpuntje in deze hele zaak ontdekken. Begin bij het begin. De heer en mevrouw Van Brandenburg missen hun geldkist. Een koperen kist met Sint-Joris en de draak op het deksel. En een paar knapen in het bos hadden een kist in hun bezit, dat heb je zelf gehoord. Is dat de kist uit de Boshut? Het is heel goed mogelijk. Het kunnen boefjes zijn, die hem uit het huis gestolen hebben toen de Van Brandenburgers een avondwandeling maakten. Maar Frank, wat heeft die ermee te maken?

Ik opende mijn ogen wijd en keek naar hem. Hij at met smaak nasi uit een pannetje. Hij pikte er genoeglijk met zijn lepel en vork in rond. Af en toe nam hij een slok uit een wijde kroes, die op de grond stond. Naast de kroes stond een leeg coca-cola flesje. Nee, dacht ik, Frank heeft niets te maken met die jongens en die kist. Goed, het is vreemd dat hij een tekening van onze tentinhoud heeft gemaakt, maar dat Frank een gemene, een slechte jongen is, nee, dat kan ik niet geloven!

Toen Frank aan zijn dessert begonnen was, hij schilde een dikke, roodwangige appel met een breed, stevig zakmes, kwam er plotseling een jongen uit het bos. Het was de blonde knaap die Myra en ik die morgen in het bos hadden gezien en ik deed mijn ogen driekwart open om te zien wat deze knaap wel zou komen doen. Hij stapte op Frank af. Hij droeg iets in zijn handen.

Zou hij, mijn hart klopte opeens wild in mijn keel, zou hij de geldkist uit de Boshut bij zich hebben en deze nu

aan Frank overhandigen? Maar dan bestond er wel degelijk contact tussen hen! Dat was toch onmogelijk! In de eerste plaats had ik zo-even diep in mijn hart uitgemaakt dat Frank helemaal niets met de diefstal van Sint-Joris en de draak te maken had en in de tweede plaats zouden ze, als er iets tussen zat, toch niet hier, buiten in de zonneschijn en met mij als getuige, een gestolen geldkist overhandigen!
Ik zag hoe het blonde joch stond te praten. Zijn mond, met grote, stevige tanden, ging wijd open. Frank knikte voortdurend naar hem.
Dan zette de jongen iets op de grond. Ik kon mijn nieuwsgierigheid nu niet langer bedwingen. Ik liet mijn voeten van de pan glijden en ging rechtop in het gras zitten. Op de grond, voor Franks sandalen, stond iets. Een doos of een kist en ik zag de zonnestralen zich erin weerkaatsen. Frank boog zich over het ding heen. Ik wrong me in allerlei bochten om het voorwerp beter te kunnen zien, maar de jongen was nu op zijn knieën gaan zitten en ik zag slechts de kleurige strepen van zijn bloes.
Aan de bewegingen van Frank zag ik dat hij zijn zakmes tussen de kist en het deksel stak en hem heel voorzichtig openbrak. De jongen nam het deksel van de doos, ze keken er beiden in, ze lachten naar elkaar en toen verdween de jongen, de kist met twee handen vasthoudend, hard lopend in het bos.
Ik stond op. Mijn haren zaten los en slordig om mijn hoofd, mijn wangen waren rood van spanning en mijn neus glom van de zonne-olie. Maar ik kon me niet langer bedwingen. Ik stapte op de Muizenval toe. Frank zat nog steeds in het gras. Het zakmes in de hand. Hij keek op toen ik vlak bij hem was. Zijn donkere ogen keken me aan.
„Dag... Ine," zei hij.
„Was dat een schatkist?" vroeg ik plompverloren.

„Voor die jongen wel," Frank lachte, „waarom vraag je dat?"
„Was het geen echte geldkist?" vroeg ik nog.
„Nee. Het was een met goudpapier beplakte, houten kist. Er kampeert een groep jongens in het bos en ze hielden vandaag een speurtocht naar een zogenaamd zoekgeraakte kist. Een kist met een schat erin. Een document. Deze jongen had de kist gevonden, maar hij kon het deksel niet loskrijgen. Het was dan ook goed vastgetimmerd."
„O," zei ik alleen.
„Ik kan je geen stoel aanbieden," Frank stond op en verdween in zijn tentje, „maar je mag op mijn luchtkussen zitten. Dat is een hele eer. En ik zal een appel voor je schillen. Ben je geschrokken van die jongen met zijn doos?"
„Nee," zei ik stoer, „maar zie je, wij zijn ook op zoek naar een geldkist. Een echte geldkist."
Frank knikte, hoewel hij er wel niets van zou begrijpen. Hij schilde de appel, sneed hem in partjes en legde ze één voor één voor me neer op een plastic schoteltje.
„Er is een geldkist gestolen uit het zomerhuisje van mijn vriendin," zei ik, „uit de Boshut. Het is een koperen kistje, met op het deksel een afbeelding van Sint-Joris en de draak."
Nu keek Frank me recht aan. „Gestolen!" herhaalde hij, „een geldkist gestolen! En hebben die mensen er aangifte van gedaan bij de politie?"
„Ja," knikte ik, „maar vanmorgen waren Myra, dat is het meisje uit de Boshut, en ik in het bos en toen hoorden we jongens praten over een kist en over het openbreken van die kist. Wij dachten natuurlijk onmiddellijk aan de geldkist van Sint-Joris en daarom was ik zo nieuwsgierig toen één van de jongens zo-even naar je toe kwam met een kistje."

„Dat begrijp ik," Frank knikte, „maar dit was de kist beslist niet. Het was echt een speelgoedvoorwerp."
„Ja." We zaten even zwijgend tegenover elkaar. Frank zat in het gras. Zijn bruine, stevige voeten staken in open sandalen. Ik zat op zijn luchtkussen. Ik had geen schoenen aan. Ik keek naar mijn tenen, die bloot en niet meer zo schoon over het gras schoven.
Mijn hart klopte nu iets regelmatiger, hoewel het nog lang niet normaal was. Ik voelde dat Frank me zo ongemerkt mogelijk op zat te nemen. Ik streek met mijn vingers door mijn verwarde haren. Frank keek naar me. Zijn ogen waren donker en ze lachten.
„En wanneer is die kist..." begon hij juist, toen Myra over het bospad kwam hollen. Haar roze jurk wapperde om haar blote benen en het donkere haar zwaaide achter haar aan.
„O, Ine!" riep ze, ze zag wit en haar ogen stonden groot en vreemd in haar smalle gezichtje, „O, Ine," ze stond hijgend naast me, „er is zo'n enge man in het bos!" Dan pas zag ze waar en in wiens gezelschap ik me bevond.
„O, neemt u mij niet kwalijk, ik..." ze keek Frank met verwonderde ogen aan.
„Ik neem u helemaal niets kwalijk," Frank was al opgesprongen en reikte haar zijn hand, „mijn naam is Van Wissen. Frank van Wissen. Ik zal kijken of ik in mijn tentje nog iets kan vinden waarop u kunt zitten."
„Neem dit kussen maar," bood ik aan, „ik ga wel in het gras zitten. Mijn jurk is toch al vuil."
Myra zeeg zuchtend neer.
„Een beetje water," Frank boog zich over een kleine jerrycan en goot het frisse water met een voorzichtig straaltje in een kroes, „dat is goed voor de zenuwen. En was er een man in het bos? U moet daar niet te bevreesd voor zijn. Als ik in het bos wandel en u komt me tegen bent u misschien ook niet direct van mijn goede bedoelingen overtuigd. En toch zal ik geen

vogeltje, geen bloempje en geen meisje kwaad doen."
Hij lachte naar Myra. Ze trok nerveus met haar mond.
„Zeg alsjeblieft geen u tegen me. En ik heb doodsangst uitgestaan. Het was zo'n rare man. Het leek wel een zwerver, een woudloper, een... ik weet niet, hoe je zo'n man nog meer kunt noemen, maar het was een onguur type."
„Volgde hij je?" vroeg ik.
„Nee," antwoordde Myra, „hij keek naar me en liep een stukje achter me aan. Maar toen ik hard begon te lopen bleef hij staan en keek me na." Ze nam nog een slokje water.
„Ik heb ook nieuws," zei ik, „want de kist waarover die kinderen vanmorgen in het bos praatten, die kist was niet jullie kist. Eén van de jongens is hier geweest en Frank heeft de kist voor hem opengemaakt. Het was een namaakschatkist uit een spel, dat de knapen in het bos speelden."
„Wat een ellende," zuchtte Myra, „vader zit de hele dag uit te zien naar politiemannen die zijn koperen bezit terug komen brengen en moeder huilt af en toe als ze denkt aan al die voorvaderen die het kistje in hun handen hebben gehouden en er beter op konden passen dan wij."
„Och, dat geeft al weinig," meende Frank, „met afwachten en huilen komt de kist niet terug. Er moet natuurlijk vertrouwen in de politiemacht zijn en het is te hopen dat zij er spoedig in zullen slagen de kist terug te vinden, maar daarnaast is het helemaal niet gek om zelf tot actie over te gaan, zelf iets te doen."
„Wat moeten we doen!" zuchtte Myra tragisch.
„Nou," dacht Frank, „je kunt nagaan of er iemand in de buurt van het huisje zwerft en misschien zijn er nog andere mogelijkheden. Hebben jullie nog iets in huis wat glanst en aan kan trekken? Was het kistje gesloten en waar is de sleutel? Want als het een sieraad is zal

ook de dief het niet graag openbreken."
„Ik geloof dat mijn vader de sleutel van de geldkist altijd in zijn broekzak met zich meedraagt," zei Myra, „men zal de kist open moeten breken om de inhoud te zien." Myra zuchtte. „Heb je nog een beetje water? Mijn keel is droog van emotie. Kijk, daar staat iemand naar ons te kijken."
Frank en ik draaiden ons om en ik zag een lange, blonde jongeman, die een paar passen voor Berenhol stond en ons opmerkzaam gadesloeg.
„Bob!" riep Frank uit. Hij sprong op en liep op de jongen toe.
„Ik dacht, ik ga Frank in zijn eenzaamheid opzoeken," de blonde jongeling liep over het gras naar ons toe, „een klein tentje, een stil bos, een eenzaam jongmens."
„O, ik ben helemaal niet eenzaam. Laat ik je aan mijn kampgenoten voorstellen. Ine..."
„Scholten," vulde ik aan. Ik drukte de jongeman de hand. Hij had heel blauwe ogen, donkerblond haar en een brede mond.
„Myra..." Frank kende wel onze voornamen, maar de achternamen wist hij niet.
„Van Brandenburg," zei Myra dus. Ik zag haar ogen Bobs gezicht scherp in zich opnemen.
„Wat zitten jullie hier heerlijk vrij en onbekommerd van de zon te genieten," jubelde Bob, „maar het ontbreekt jullie aan drinken, dat zie ik. Een kroesje water en wat appelschillen. Maar ik heb iets meegenomen. Frank, als je even meeloopt naar de auto... Die staat nog aan de rijweg."
„O, je bent fantastisch," Frank liep al in de richting van Bobs wagentje, „wat heb je meegebracht? Sinaasappelsap en priklimonade?"
Toen ze achter het Berenhol verdwenen waren greep Myra mijn arm. „Wat betekent dit? Hoe kom je zo bij hem terecht? Is hij niet..." begon ze gejaagd te vragen,

maar ik viel haar in de rede. „Stil," siste ik, „ik vertel je straks wel hoe het allemaal gegaan is. Ik wil eerst nog eens naar die tekening kijken. Let jij op!" Ik kroop vliegensvlug naar de Muizenval. Myra zat als een standbeeld op het luchtkussen.
„Ze lopen over het zandpad," hield ze me van de gang van zaken op de hoogte, „nu zijn ze bij de auto. Ze doen de achterklep open. Ze pakken iets. Ze praten met elkaar..."
Inmiddels was ik in Franks tentje en ik wist precies waar de tekening moest liggen. Ik stak mijn hand uit naar het luchtbed en ineens hield ik mijn adem in, want er lag niet één tekening, nee, er lagen er nu vier! Keurig op elkaar geschoven. Ik greep ze met bevende vingers vast.
De bovenste tekening was die, welke Hans had ontdekt: ons tentinterieur. Compleet met slaapzakbobbels en onze keukenhoek.
Ik legde hem heel voorzichtig op het luchtbed. De tweede tekening was de afbeelding van een groot, stil meer, omgeven door struiken en bomen. Ik legde hem op onze tentinhoud. De derde tekening was de Boshut. Onmiskenbaar de Boshut. Het lage, brede venster, waarachter een sprietig plantje stond te kwijnen en de deur, teruggesprongen en weggedoken onder de luifel. De vierde tekening, het vel papier trilde in mijn handen, ik voelde mijn hart wild kloppen en bonzen, op de vierde tekening... stond ik! Ja, dat was ik! Het haar, dat kort en springerig om mijn hoofd danste, mijn iets te grote mond en mijn ogen. Ze keken me melancholiek aan. Het is een wonderlijke gewaarwording opeens in je eigen ogen te kijken!
„Ze komen!" siste Myra.
Ik legde de tekeningen snel op elkaar, schoof ze op het luchtbed en kroop vliegensvlug naar buiten. Ik zat weer kaarsrecht in het gras toen Franks hoofd

langs de noklat van het Berenhol schoof.
„Alsjeblieft, sinas, appelsap, bier en weet ik veel," hij liet de flessen in het gras zakken, „nu moet ik zoeken naar een flesopener en iets om uit te drinken."
„Ik haal wel kommen uit onze tent," stelde ik voor. Ik stond op om uit het broeihete Berenhol de plastic koppen te pakken.
Toen ik terugkwam zei Myra juist met een droge snik in haar keel: „Het is al zoveel jaren in de familie, het koperen kistje. En later zou ik het krijgen."
Frank en Bob keken haar vol medelijden aan en knikten.
„Het stond bij mijn overgrootmoeder op de kast," vertelde Myra, „bij mijn grootmoeder pronkte het op het grote, brede buffet, mijn moeder gaf de kist een vast plaatsje op de boekenkast. En nu is hij weg."
„Hij zou niet passen op jouw stalen boekenrek," wilde ik zeggen, maar Bob Stegeman keek Myra recht aan en zei: „Het kistje moet gevonden worden."
„We zullen alle mogelijkheden overwegen," stelde Frank voor, „elk verdacht persoon gaan we volgen, de sleutel van het Sint-Joriskistje moet goed bewaakt worden en we zullen achter elke kleine aanwijzing grote mogelijkheden verwachten."
Myra knikte. „Je toegezegde medewerking doet me goed," zei ze plechtig, „ik hoop dat we de kist spoedig zullen vinden. Je weet niet half hoe gedrukt de stemming in de Boshut is. Onze heerlijke vakantiedagen," Myra zuchtte diep, „ze gaan voorbij in zorgen en verdrietigheden."
„We gaan nu naar het Berenhol," ik sprong op, „Bob komt uiteindelijk om met Frank te praten en als er dan twee geheel vreemde meisjes bij zitten..."
„Het was mij werkelijk een groot genoegen," Bob knikte hoffelijk en Frank zei: „En we willen jullie heel graag helpen bij het opsporen van de verdwenen geldkist."

We zetten alle luifels van het Berenhol wijd open, maar het bleef er snikheet in.
„Laten we maar languit in het gras gaan liggen," stelde Myra voor, „hier, aan de kant, in de schaduw van deze lage struiken."
„Dan moet er toch één in de zon liggen," dacht ik, „de schaduwstrook is te smal."
„Wel nee, we gaan allebei in de schaduw. Als onze hoofden maar dicht bij elkaar zijn, dan kunnen we praten."
Ik haalde een paar repen uit de tent, ze waren zacht en kleverig en toen strekten we ons lui, op onze ruggen, uit in het gras.
„Er waren nu vier tekeningen in de Muizenval," zei ik heel zachtjes toen we in het gras lagen.
„Wat!" kreet Myra, ze draaide zich wild op haar buik, dook met haar neus in de half gesmolten chocolade en keek me met grote ogen aan. „Wat zeg je, vier tekeningen?"
„Schreeuw niet zo," waarschuwde ik, „straks horen die jongens precies wat wij bespreken. Ja, er waren nu vier tekeningen."
„Waarvan dan wel?" vroeg Myra. Haar hoofd was nu vlak bij mijn hoofd. Ze steunde haar kin met haar handen.
„Van onze tentinhoud," begon ik op te noemen, „van de Boshut, van een groot meer en van... schrik niet, van mij!"
Myra ging rechtop zitten.
„Er klopt iets niet," zei ze, „je zult toch toe moeten geven, dat het één en ander hoogst merkwaardig is. Waarom tekent iemand de dingen in jullie tent? Niet omdat hij het zo'n prachtig stilleven vindt of omdat de voorwerpen zo mooi zijn. Hij moet er op de één of andere manier belang bij hebben. En waarom tekent hij de Boshut? Is het zo'n mooi huisje? Wel nee. Er

staan in het dorp veel leuker woningen. En langs het heidepad ook. Er is iets, dat hem naar de Boshut heeft getrokken."
„Ja." Ik was ook gaan zitten. We zaten, onze handen om de opgetrokken knieën geslagen, dicht naast elkaar. Ik luisterde naar Myra's zachte, doordringende stem.
„En dat meer? Waar is dat? Verbergt men daar de geroofde buit? Weet jij hier een meer? Nee, in de naaste omgeving is alles zand, heide en bos!"
Myra brak een takje van het boompje achter haar af en stak het in jaar mond. „En die tekening van jou, wat heeft dat te betekenen? Wat heeft hij met jou voor?"
Ik haalde mijn schouders op; ik wist het ook niet.
„Het wordt nog een heel, heel raar geval," voorspelde Myra somber, „er is iets met die jongen. En onze geldkist is nog steeds niet gevonden."

HOOFDSTUK 9

Mijn tentgenoten kwamen stoffig, vermoeid en warm naar de tent gesloft.
„We zijn vreselijk ver geweest!" schreeuwde Hans luid. Hij ging in het gras, op ons plekje in de schaduw van de kleine struiken liggen.
„Ik ben doodmoe," Jetske liet zich voor de tent vallen.
„En ik verlang zo naar onze badkuip," zuchtte Nan, „heerlijk fris en schoon worden. Br… wat een zand en een stof. Is het erg heet in de tent?"
„Kokend," zei ik, „ga er maar niet in. Ik heb zo-even voor Myra en mij een paar repen chocolade gepakt, maar ik moest ze vlug in een kroesje laten zakken. We hebben ze als cacao opgedronken."
Nan ging languit in het gras liggen. „Haal water voor me, Jaap," commandeerde ze, „en Ine, trek mijn schoenen uit."
Ik rukte aan schoenen. „Ik heb met Frank gesproken," zei ik, „maar hij is bij de diefstal in de Boshut beslist niet betrokken."
„O nee?!" Nan richtte zich even op, dan liet ze zich weer vermoeid achterzakken, „waar is hij nu?"
„Hij brengt met Bob Myra naar huis."
„Met Bob!" Nan veerde weer overeind en staarde me aan, „wie is Bob?!"
„Hij is een vriend van Frank. Hij kwam Frank vanmiddag opzoeken en nu brengen ze Myra even naar de Boshut, want ze durfde niet meer alleen. Er was vanmiddag zo'n vreemde man in het bos, zei ze. En de koperen kist is nog niet terug."
„Jaap," smeekte Nan, ze hief haar handen naar hem op, „laten we alsjeblieft de boel afbreken, inpakken en naar huis gaan. We missen nu nog niets, er is nog niets naars met ons gebeurd en…"
„Ik heb even in Franks tentje gekeken," zei ik om de

spanning te verhogen, „er liggen nu vier tekeningen. Ook één van mij."
„Een tekening van jou!" kreet Nan, ze ging met een schok zitten, ze rukte aan me en wilde me het liefst dicht tegen zich aandrukken om me veilig in haar zusterarmen te beschermen, „Jaap, wat heeft dit te betekenen?"
Jaap wist het ook niet.
„Laten we toch naar huis gaan," begon Nan weer, ze huilde bijna, „ik vind alles zo vreselijk. Die nare vent, die vieze beesten over de grond, kijk hier, drie kommen vol torretjes, diefstal in de buurt, een enge man in het bos en dan de tekeningen in het bostentje nog."
„Vrouwtje, luister nu," zei Jaap overredend, „wees flink. Op het ogenblik gebeurt ons niets. De zon schijnt, de hemel is blauw en we zijn heerlijk buiten. Wat wil je nog meer! Wat zullen we nu eerst doen?" Hij keek enthousiast als de energieke hopman om zich heen, „Eten klaarmaken? Of..." hij zag Jetske, die naar dromenland was afgereisd, „of zullen we eerst maar koffie zetten? Sterke koffie. Dat is goed voor de zenuwen. Wie spoelt even de torrenkroezen om? Doe jij het maar, Nan, en laat het water over je voeten kletteren. Dat is lekker. Het is je beslist een tientje waard en het kost niets." Hij duwde haar de kroezen in de hand. Nan, mijn zus, die gewoonlijk in dure pakjes en hoge hakjes langs de etalageruiten flaneert, Nan liep in een gekreukelde, een beetje vuile zomerjurk met piekharen om een warm, rood gezicht en op blote, opgezette voeten naar de waterkraan. Drie kroezen vol beestjes in de hand.
„Koel, helder water," zei ik. We keken Nan na.
De koffie was lekker. Sterk, met drie scheppen suiker in een kroes en een grote koek met een noot. Heerlijk.
„Hè, ik knap helemaal op," zei Nan.
„Zie je wel," Jaap klopte haar even op de knie, „dat zijn

van die kleine inzinkingen. Dat heeft elke kampeerder vele malen per dag."
„Maar je zult moeten toegeven," begon Nan weer, „dat het vreemd is..."
„Nee, niets," weerde Jaap af, „denk nu niet aan die tekeningen. Je blijft even rustig zitten, we drinken nog een kopje koffie, dan ga je je wat opfrissen en daarna denk je heel anders over zulke futiliteiten. Rust en..."
„Mam!" kreet Jetske op dat moment. Ze vloog overeind, rende bijna de tent omver, stortte zich warm en zwaar op Nans schoot en hikte.
„Heeft een beest je gestoken?" vroeg Nan, ze loerde al in Jetskes hemdje, „en wat ben je warm."
„Ik droomde zo naar," huilde het kind nu, „alle tenten stonden in brand en het bos begon te knetteren en..."
„Kindje," Nan keek angstig, maar Jaap zei als de flinke, verstandige vader, „Dromen zijn bedrog, dat weet mijn meisje wel. Kom hier even zitten, Jetske, dan zal ik wat drinken voor je halen. Limonade?"
„Water," snakte het kind na de brand. Nan zuchtte. „Ik ben weer even warm en benauwd als zo-even. Schenk die kroes maar goed vol. En weinig melk. Zwarte koffie geeft kracht in zware beproevingen."
Toen de koffiepot leeg was kwamen Frank en Bob Stegeman weer thuis. Ze staken beiden joviaal hun hand op ter begroeting en verdwenen in het kleine tentje. Hans kroop met rode slaapwangen en verwarde haren onder de struiken vandaan en informeerde, wie dat nu wel was.
„Een vriend van Frank," zeiden wij. Hans ging naar het tentje zitten kijken.
„Ik ga even naar het waslokaal," Nan hees zich moeizaam overeind, maar halverwege de ernstige pogingen liet ze zich als door een vreselijke steek getroffen weer in de grasprieten zakken, want over de camping schalde de juichkreet: „Daar zijn ze! Daar zijn ze!" en

over het groen dartelde Stella op ons af. Stella, omstuwd door drie jonge kinderen in lichte, schone zomerpakjes en op witte keurige schoentjes. Wim Jansen volgde met een grote, bruine hond aan de lijn.
„Zeg niets over alle narigheden hier," siste Nan vals, „Wim wil ook in een tent!"
„O, wat zitten jullie hier heerlijk!" Stella was onze vesting genaderd. „O, wat zalig!"
„Ik zal een luchtbed voor jullie halen," bood ik gedienstig aan, „dat zit beter dan in het gras."
Maar Wim zat al. Op de grond. Hij maakte de riem van de hond aan een tentharing vast. De kinderen holden achter Hans en Jetske aan het bos in en waren na vijf minuten vuil.
Stella liet zich op het luchtbed zakken.
„We zochten overal naar jullie," ze streek haar ja-ponnetje glad, „Nan zei voor de telefoon, donderdagavond: we gaan naar Dwingelo. Die hele grote camping hierachter hebben we doorkruist. Honderden tenten, caravans en huisjes hebben we gezien."
„Maar we zitten hier," zei Nan nogal stom. Stella knikte. Ze hadden het ontdekt, ja.
„En hoe bevalt het je nu?" vroeg ze belangstellend, „het is wel primitief, zo alles op de grond en zo, maar je hoeft bijna niets te doen. Je kunt de hele dag in de zon liggen. Heerlijk vrij, geen zorgen, niets om over te denken of te piekeren."
„Nee kind, het is gewoon zalig!" zei Nan overdreven.
De Jansentjes bleven eten. Nan en ik keken elkaar even bedenkelijk aan, toen ze dit plan opperden. We zagen in gedachten de plasticzakken vol keihard brood. Dat konden we hun toch niet aanbieden. Naar het leek had Jaap juist de ideale oplossing om op een redelijke wijze van onze voorraad af te komen. En hij wist wel een manier om het hun toch nog attractief voor te schotelen. Hij bakte eieren en hield de boter-

hammen even in de hete boter alvorens het gebakken ei erop te leggen. Het werd een vettig, druiperig geheel, maar als je met je hoofd boven je bordje bleef gebeurde er niets.
De kinderen wilden chocoladehagel. Op het gras werd een feestmaal voor de kleine dieren van het bos voorbereid en de Jansentjes hadden hun pakjes vol chocoladevlekken. Hans en Jetske, in hun korte broekjes, veegden de chocoladekorrels van hun blote benen.
„O, zo rustig, zo zorgeloos," zuchtte Stella, „vind je het niet enig, Nan?"
„Ja," zei Nan, „het is zo heel anders dan thuis, hè?"
„Dat moet ook," viel Wim Jansen bij, „je moet je niet thuis voelen, je moet er juist uit zijn."
Na de broodmaaltijd, de kinderen Jansen werden in het corvee opgenomen en kletterden met Hans en Jetske bij de kranen de bordjes en de kroezen schoon. Na de broodmaaltijd vertrokken Wim en Stella weer.
„We moeten nog naar Amsterdam," riep Stella, „maar de kinderen kunnen op de achterbank slapen. Ze zijn wel vies en nat geworden." Ze bekeek haar kroost, dat ze vanmorgen zo schoongewassen en fris had meegenomen, met een opgetrokken neus.
We wuifden hen na. Nan tragisch, alsof Stella, de vriendin waarop ze altijd gebouwd had, haar nu bij de inboorlingen in kafferkralen achterliet om zelf in flinke vaart naar de heerlijke beschaving van Amsterdam te rijden, Jaap met de groet van 'morgen komen we weer terug' en Hans met weemoed, want, zei hij: „Je kunt lekker rovertje spelen in het bos met Bertje. We zouden Jetske en Mieke vangen en toen riep u dat we eten moesten."
De rust daalde om onze tent. De zon was nu achter de bomen aan de overkant van de weg verdwenen en een frisse wind streek over de camping.
„Als dat van die geldkist er niet was en dat met die

tekeningen niet," Nan knikte even heel voorzichtig in de richting van de bostent, „zou het nog een beetje uit te houden zijn. Maar het is zo'n dreiging." Ze zweeg even, dacht na en dan zei ze: „En dat hij een afbeelding van jou heeft, Ine! Zou er een complot achter zitten, een bende die jou wil ontvoeren, of..."
„Doe niet zo raar!" riep ik uit. „Waar verdenk je Frank wel van? Goed, het is vreemd, dat geef ik toe, maar zo iets, nee, dat moet je niet denken!"
Hans en Jetske gingen zich wassen in het waslokaal, Jetske hield haar hele hoofd onder de kraan, zodat haar krullen dropen. Ze droogde ze met de laatste schone handdoek die we in voorraad hadden en daarna schoven ze hun luchtbedden tot vlak bij de tentopening. Ze kropen onder de dekens en gingen naar ons liggen kijken.
We zaten nog buiten. Het was een heerlijke avond.
„Zo zie je," zei ik, „je weet nooit wanneer je met vakantie moet gaan. In juli regent het en bibber je van de kou, in mei puf je van de warmte. We kunnen wel tot twaalf uur buiten zitten."
„Vertel nu eens, Ine," vroeg Jaap, hij trok zijn knieën op en sloeg er zijn bruine, gespierde armen omheen, „hoe weet je dat Frank beslist niets met die geldkistroof te maken kan hebben? Heb je met hem gesproken?"
„Ja," antwoordde ik. Ik zei het heel zacht, want de avond was zo stil en mijn woorden mochten niet tot het tentje onder de hoge bomen doordringen. „Ik heb hem vanmiddag gesproken."
Nan keek me met grote ogen aan. Ze schoof, ze zat op een donker badlaken, een beetje dichter naar me toe. Ik vertelde wat Myra en ik die morgen in het bos beleefd hadden. Dat we vier jongens, vier knapen, hadden bespied en hun gesprek afgeluisterd. Dat zij een kist bij zich hadden en dat ze die kist open wilden maken. Maar wij konden de kist niet zien. En we dach-

ten meteen: dat is de kist. Nan, Jaap en Hans luisterden vol aandacht. En ze knikten alle drie instemmend, ja, jullie dachten, dat is de kist... „Toen ik vanmiddag alleen bij de tent was," ging ik verder en ik vertelde van de jongen die met de namaakschatkist uit het bos was gekomen en op Frank was toegestapt. „Ik was zo nieuwsgierig." Ze knikten alle drie (Jetske was met roze wangetjes en een open mondje in slaap gevallen) weer instemmend, „en daarom stapte ik op Frank toe." Ze hingen aan mijn lippen.
„En daarom ben ik ervan overtuigd," besloot ik mijn verhaal, „dat Frank er geheel buiten staat. Hij bood zelfs aan om te helpen bij het opsporen van de kist. Hij gaf ons bijvoorbeeld een tip over de sleutel. Die sleutel draagt meneer Van Brandenburg altijd in zijn broekzak met zich mee. En die sleutel moet goed bewaakt worden, want daar kan de dief alsnog om komen. Als hij de koperen kist niet beschadigen wil en toch bij de inhoud zal willen komen. En dan is er nog de man die Myra in het bos heeft gezien. Een onguur type. Een landloper, een vagebond. We moeten nagaan of hij nog in deze omgeving zwerft en als hij vertrokken is, waarheen is hij dan gegaan en..."
Jaap en Nan knikten.
„En... en die tekening?" fluisterde Nan na een paar minuten stilte, „vertel ons daar ook alles van."
„Frank en Bob gingen even naar Bobs autootje om flesjes sinas te halen," begon ik gehoorzaam, „en in die tijd heb ik in Franks tentje gekeken. Want ik wilde die tekening van onze tentinhoud nog eens zien. Er waren nu vier tekeningen! Die van onze tent dus, één van een meer, ik weet niet welk meer, maar het was een groot meer, een beetje groenig gekleurd en er was een tekening van de Boshut. Myra's Boshut. En de laatste tekening was een tekening van mij. Ik zag het heel duidelijk. De wangen waren iets te mager en ik heb geloof ik

niet zo'n eng nekje, maar verder, de vorm van het gezicht, het haar, de ogen, ja, dat was ik."
„Wat vreemd... wat vreselijk vreemd," zuchtte Nan zachtjes, ik zag haar ogen naar het bostentje dwalen, maar er was niets te zien. Het stond stil en roerloos en schijnbaar verlaten onder de bomen.
„Laten we naar binnen gaan," stelde Jaap voor, „het wordt nu frisser en Jetske slaapt. Neem jij het voeteneind, Nan, dan schuiven we haar luchtbed en al verder de tent in." Hans was uit zijn deken gekropen en stapte in zijn pyjama over het grondzeil.
„Willen jullie nog iets drinken?" vroeg Nan. „Of zullen we maar een reep nemen en dan gaan slapen? Ik ben doodmoe."
„Er zijn repen met rozijnen," wist Hans, „die zijn heerlijk!" Hij viel over zijn afgezakte pyjamapijpen en dook boven op onze voorraadhoek.
We verkleedden ons en kropen in de dekens. We aten zwijgend onze repen op. Toen blies Jaap de kaars uit en het was even heel donker om ons heen. Ik lag stil op mijn luchtbed. Mijn ogen waren spoedig gewend aan de duisternis en nu kon ik weer flauw het maanlicht zien, dat van buitenaf tot in de tent doordrong. Ik zag het doek heel zacht bollen in de wind.
Nan deed of ze al sliep. Ze knorde zachtjes: „Hm..." toen Hans fluisterend vroeg: „Mam, hoe laat is het nu?"
Jaap gaf ook geen antwoord. Hans zweeg weer. Hij draaide zich om op zijn luchtbed, dat piepte en kreunde.
Ik kon niet slapen. Ik lag met open ogen naar de noklat te staren. Ik dacht aan Frank. Ik kon, zo in het donker van de tent en heel alleen met mijn gedachten, wel bekennen dat ik hem bijzonder aardig vond. Zijn donkere ogen en zijn lachende mond: eigenlijk was ik in de RAI al een klein beetje verliefd op hem geworden.

Ik had wel meer vrienden gehad. Otto, die twee klassen hoger zat op de hbs en met wie ik hand in hand naar huis liep. Tot hij eindexamen deed en uit mijn gezichtskring verdween. En Peter, die ik ontmoette op een fuif van de toneelclub. Met hem heb ik maandenlang gewandeld, gepraat en gefluisterd. Maar opeens was het voorbij. Een kleine ruzie over een futiliteit en we gingen uit elkaar. We zagen elkaar niet meer.
Daarna ging ik nog weleens uit met een jongen van de Kunstnijverheidsschool, ik ontmoette Rolf van de Heyden bij kennissen en met hem praatte ik uren, maar zoals mijn hart ging kloppen toen ik Frank weer zag op de camping, vrijdagavond, dat was toch heel iets anders.
In de eerste opwelling dacht ik: hij is mij komen opzoeken!! Dat wilde ik mezelf nu, in het donker van de tent, wel bekennen en ik voelde me, vrijdagavond, heel warm worden vanbinnen. Maar toen vertelde Frank van zijn zwerftocht door Drenthe en dat hij juist hier... Dan is het een gelukkig gesternte, dacht ik toen romantisch. Dat heeft hem hierheen gedreven.
Ik draaide me om op mijn luchtbed. „Stel je niet aan," zei ik streng tot mezelf, „je bent voor hem een heel gewoon meisje. Hij heeft je eens in de RAI ontmoet en nu ziet hij je weer. Nou... en? Hij heeft vrijdagavond met Jaap, Nan en jou en de kinderen gesproken, omdat hij dat leuk vond en omdat men op een camping spoedig met elkaar spreekt. Dat heeft Jaap toch al verteld? En vanmiddag ben jij naar hem toegestapt en jullie hebben gezellig bij elkaar gezeten. Maar waarom niet? Hij is met vakantie, zijn vriend komt hem opzoeken, jouw vriendin kwam op de camping; waarom zou hij niet aardig en beleefd zijn? Je moet er niet meer achter zoeken dan erachter zit."
Ik zuchtte diep. „En die tekeningen?" vroeg ik me dan af. Waarom tekent Frank onze luchtbedden, slaapzak-

ken en koffers? Waarom tekent hij de Boshut? Waarom tekent hij mij?
Ik zuchtte weer. Ik wist het niet. Ik viel in slaap. Onrustig en angstig dromend. Toen ik wakker werd was het nog nacht. Naast me hoorde ik Hans en Jetske ademen, ik hoorde Nan, die zacht in haar slaap iets murmelde en Jaap, die kreunde. Maar ik hoorde nog iets. Ik schoot overeind in de grote deken, hield mijn hoofd een beetje schuin om beter te kunnen luisteren en opeens wist ik het zeker: buiten klonken stemmen. Zachte, gedempte stemmen, die steeds dichterbij kwamen.
Wie zijn daar buiten? vroeg ik me angstig af. Mensen die onze tent willen besluipen? Die de portefeuille met het geld uit de tas willen stelen? Mijn adem stokte me in de keel. Ik wierp de deken van me af, probeerde over de kinderen en over Nan heen te stappen om Jaap te porren, maar in het donker kon ik niet zien waar ik liep of stapte, ik viel tegen de koffer en greep me vast aan de voorstok van de tent. Ik bleef even hijgend staan. Buiten zei een stem zacht: „Heb je nog aan je plan kunnen werken?" Het was Bob, Bob Stegeman. Dat hoorde ik heel duidelijk.
„Ja zeker," antwoordde een andere, een zwaardere stem. Frank. Zijn stem klonk iets verder weg, ze stonden niet vlak of naast onze tent. Ik liet me op mijn knieën zakken, zocht de ritssluiting en trok de rits een heel klein stukje open. Het ding kraakte. Ik hield verschrikt op. Ik ging op mijn buik op het grondzeil liggen en loerde naar buiten. Bob en Frank stapten heel langzaam over het grasveld in de richting van de Muizenval. De gloeiende puntjes van hun sigaretten waren duidelijk te zien in de donkere nacht.

HOOFDSTUK 10

Toen we de volgende morgen onze ogen openden zat Nan al rechtop op haar luchtbed.
„Goedemorgen, mam," begroette Jetske haar lief met een slaperige glimlach.
„Ja, ook goedemorgen," zei Nan, „jullie moeten opschieten vanmorgen. Je goed wassen en behoorlijke kleren aan. En de tent opruimen. Alle broekjes en bloesjes die daar op een hoopje liggen en de leesboeken van Hans..."
Ik sloot mijn ogen maar weer snel. Als Nan zo praat, zo vlug en op commandotoon, breekt er een zenuwachtig uurtje voor ons aan. Ik ken haar zo langzamerhand. Maar Jetske, na ongeveer drie jaar bewuste ervaring, Jetske vroeg trouwhartig: „Waarom mams?"
„Omdat ik het zat ben als een halve wilde in een hol te leven en om jullie als zwerfkinderen te zien rondhangen," begon Nan af te draaien, „de mensen op de camping zullen wel denken dat wij..." maar ze kon haar zin niet afmaken, want Hans was als de dood van Pierlala uit de oude poppenkast omhoog geschoten en zat nu met een verwilderd gezicht boven op de deken.
„Dat is gemeen!" riep hij, „paps heeft gezegd dat we gingen kamperen en dat we niets met andere mensen nodig hadden. En nu begint het alweer!"
Jaap opende zijn ogen en zijn mond. „Je hebt gelijk, mijn zoon," sprak hij rustig, „we zullen ons voor niemand opdoffen. Men moet ons maar nemen zoals we hier zijn, tentbewoners zonder badkamer en klerenkast. Ik stap eruit. Wat voor weer is het? Ik zal eieren koken. Waar is mijn zeepdoos? En m'n scheerapparaat?"
Toen we onze hoofden buiten de tent staken zaten Bob en Frank al voor de Muizenval. Glad geschoren en fris gewassen.

„Goedemorgen!" riepen ze opgewekt naar Jaap, die naar buiten was gekropen. „Wat is het weer een stralende dag, hè?"
„Ja, heerlijk!" riep Jaap terug. We konden hem door de tentopening zien. Hij deed zijn ochtendgymnastiek op het nog wat vochtige gras. Het scheerapparaat en de zeepdoos lagen op een handdoek te wachten.
We ontbeten voor de tent.
Wat toch een geluk dat het zulk prachtig weer was! Stel je voor dat het regende en we met z'n allen in tent hadden moeten eten. Gebogen onder het tentdoek.
We hadden nu de ruimte. Hans demonstreerde de kampeervrijheid door tijdens het ontbijt koprollen te gaan uitvoeren in het gras. Nan riep drie keer: „Hans, aan tafel!" maar er was geen tafel en Jaap bromde: „Laat dat kind toch!"
Jetske had de thee-inschenkdienst, gedachtig aan Jaaps woorden dat het kind iets moest leren. Ze goot het kostbare, hete vocht naast de koppen in het gras, maar er was niemand die er iets van zei. Ze schoven alleen een beetje uit de spetterstraal.
Jaap kookte eieren. Ze werden deze keer precies goed, niet te hard en niet te zacht. We spraken er bewonderend over. „Och," zei Jaap bescheiden, „het is heel eenvoudig. Je moet er gewoon met het horloge in de hand bij blijven staan; als het water kookt nog drie minuten."
Toen de theepot leeg was, en dat ging snel onder Jetskes vaardige handen, gingen we over op melk. We kwamen op het droge brood.
Onze maaltijden waren voor de overige bezoekers van De Bosrand een bezienswaardigheid geworden. Men wandelde langzaam langs het Berenhol. De ouderen zeiden: „Kijk, zo kampeerde men vroeger." De vader en moeder keken vertederd naar ons, de kinderen verbaasd. Want in hun bungalow hadden ze tafeltjes en

stoeltjes en messen en vorken en nog veel meer. En wij zaten in het gras. Elk een bordje op de blote knieën en we hapten het brood met flinke happen af. Onze theekommen wiebelden op de grond. En als er één omviel was er geen geren om een doekje en geveeg over het formicablad, wel nee, de thee liep wel weg in de grond en bij de volgende schenkronde werd de kom weer gevuld.
„En kijk eens in die tent," fluisterde de moeder dan, „alleen luchtbedden en dekens, meer hebben ze niet. Geen keukentafeltje, geen kastje, geen stoel, geen tafel... och, och." Ze vonden het een zielige bedoening.
Na het ontbijt stelde Nan voor om naar het zwembad te gaan met Hans en Jetske.
„Ik blijf hier op Myra wachten," zei ik, „ze zou vanmorgen komen."
Nan knikte. Ze kroop in de tent en zocht naar nog redelijk schone handdoeken. Jetske sprong al in haar badpakje rond en Hans blies de zwemband op. Jaap zat geduldig in het gras te wachten totdat zijn gezin voor het uitrukken gereed zou zijn.
Myra arriveerde aan de arm van haar vader. „Ik mag niet alleen door het bos," legde ze uit, „ik durf trouwens ook niet en paps gaat naar de politiepost om nadere inlichtingen te geven."
Toen we hen uitgeleide gedaan hadden, het gezin Gravensteyn, behangen met badtassen en handdoeken en pa Van Brandenburg, vol goede ideeën welke hij aan de man op het politiebureau zou openbaren, zuchtten Myra en ik eens diep.
„Hè, hè, wat een rust," zei ik, „laten we nu eerst eens..." maar toen stapten Bob en Frank op het Berenhol toe en ik kon de zin niet verder afmaken.
„We gaan het bos in," begon Bob Stegeman, „want we willen eens kijken of die landloper van Myra van gisteren er nog is."

„Het is mijn landloper niet," Myra schoof heel dicht naar me toe en gaf me venijnige kneepjes in m'n arm, „en wij gaan niet bij het Berenhol vandaan."
„Dat is jammer," vond Frank, „ik had het wel leuk gevonden, een zwerftocht met jullie over de heide en door het bos."
Maar we schudden beiden als wel wat bedroefde, maar toch vastbesloten meisjes onze hoofden. We gingen niet mee.
„Als jullie die vent zien," zei ik, „volg hem dan. Probeer aan de weet te komen waar hij huist."
„En kijk of onze geldkist in zijn stolpje staat," dacht Myra.
„Dan nemen jullie de kist meteen maar mee," raadde ik hen aan. Bob en Frank bogen licht hun hoofden en knikten. Ze aanvaarden de opdracht en trokken het bos in. We keken hen na.
„Ik vertrouw het niet," Myra schoof weer wat verder van me af, „dat met die tekeningen is toch een vreemd geval. Er zit iets achter."
Ik knikte. „Maar wat?" vroeg ik me voor de zoveelste maal af.

We brachten de dag door met luieren en zonnen.
Nan en Jaap zorgden tegen twaalven voor de nodige drukte om aan eten te komen. Ze hadden verwacht, dat zei Nan tenminste, dat Myra en ik wel voor een uitgebreide maaltijd hadden gezorgd, maar dat viel tegen. We hadden er helemaal niet aan gedacht zelfs! „En je weet zo langzamerhand toch wel hoe alles klaargemaakt moet worden," knorde Jaap en hij begon driftig diverse blikken open te draaien.
Na het eten gingen ze weer naar het zwembad, want het was er zo heerlijk en je had geen kind aan de kinderen. En dat was veel waard.
Ze lieten de hele afwasboel voor ons staan. We scho-

ven de vuile pannen en vette borden ver van ons af en gingen lui in het gras liggen.
We praatten over Myra's werk en over mijn studie, over het leven en hoe wij ons de toekomst wensten en natuurlijk kwamen we weer bij Bob, Frank en de omstandigheden op de camping terecht.
„Wat zeiden ze gisteravond ook alweer?" vroeg Myra en ik herhaalde de woorden, welke Bob en Frank gesproken hadden: „Heb je nog aan je plan kunnen werken? Ja, maar ik ben nog niet klaar, dat snap je wel."
Myra knikte. „Daar moeten we over nadenken," zei ze, ze sloot haar ogen en liet de zonnestralen op haar bruine gezichtje schijnen. „Wat voor plan heeft Frank? Wil hij iets roven? Iets stelen? Wat moet het anders zijn, dat hij er laat in de avond zijn tentje voor op gaat zetten aan de rand van het bos? En waarom maakt hij anders een tekening van ons huis? Misschien is deze tekening er al eerder geweest, op een ander plekje in zijn tent. Zodat Hans hem niet gezien heeft. En nu is onze koperen kist gestolen. Er is een tekening van jullie tent. Waar is de portefeuille met het geld? In welke tas? Frank heeft hem nagetekend."
Tegen vijven waren we ziek van de zon, de warmte en het nadenken en we wisten nog even veel, of even weinig, van Franks duistere plan.
We stonden moeizaam op en sleepten ons naar de kranen om onze rode, verhitte gezichten af te spoelen en onze opgezette voeten een koud bad te geven.
Toen wasten we af. Af en toe keken we naar het bos, of Bob en Frank al terugkwamen, maar ze kwamen niet.
„Misschien heeft die landloper wel gemerkt," dacht Myra, „dat hij achtergevolgd werd en omdat hij bang was naar zijn hut te gaan, liep hij steeds verder over de hei. En Bob en Frank volgen hem. We zien hen voorlopig niet meer terug."

Meneer Van Brandenburg kwam Myra om zes uur halen. Omdat ze niet alleen door het bos mocht. Uit angst voor de landloper. Maar die liep helemaal aan het andere einde van Drenthe.
Ik zette koffie en zorgde voor de broodmaaltijd en toen mijn familie van het zwembad kwam gingen we eten.
Daarna begon de vaste ceremonie van afwassen, opruimen, tent aanvegen, zuchten en steunen van Nan en mij en het zoeken naar redelijk schone handdoeken en washandjes voor de kinderen, die daarna wegtrokken naar het waslokaal.
Jetske kwam terug met druipnatte haren en de handdoek om haar hals geknoopt.
„Is Hans al gauw klaar?" vroeg Nan. Het kind haalde de schouders op. „Dat weet ik niet," zei ze, „Hans wast zich toch in het mannenwaslokaal!!"
Nan knikte van, 'o ja, dat is ook zo' en ging verder met opruimen in de tent. Maar na vijf minuten was Hans er nog niet. Jetske liep al in haar pyjama rond.
„Ga hem eens halen, Jaap," beval Nan, „hij moet nu toch naar bed; het is al laat."
Jaap had niet veel zin. Hij lag languit in het gras en rookte met aandacht een sigaret. Maar omdat hij gewend was Nan te gehoorzamen stond hij op en slenterde in de richting van het washok. Na een paar minuten kwam hij weer terug. Alleen. „Hans is daar niet," zei hij. Ik hoorde iets van onrust en zorg in zijn stem. Nan schoot uit het Berenhol en ik ging rechtop in het gras zitten. Jetske greep de tentstok en zwengelde met haar been.
„Was hij daar niet?" vroeg Nan verbaasd, „hoe kan dat nou?" Ze keek uit over de camping, „Waar is hij dan?"
Wij wisten het ook niet. We keken om ons heen, maar er was geen jongen te zien. De wind speelde zacht met de takken en bladeren van de struiken en de bomen rondom ons grasveld, het kleine tentje in het bos stond

roerloos in de prachtige avond en om de tenten, op het andere stuk kampeerterrein, zagen we wel grote mensen en nog enkele kinderen, maar Hans, in zijn helgele zomerbloes, was er niet bij.
Het werd al schemerig buiten. Het was nog maar mei en in de avond was het vroeg duister. In het bos was het volkomen donker.
We doorkruisten de camping. We liepen rond alle tenten en tuurden naar binnen. Misschien zat hij ergens binnen. Had hij een jongen getroffen die zijn vriendje wilde zijn en zaten ze nu samen te Pim-pam-petten aan een kampeertafeltje. Maar we zagen wel stevige vrouwen in lange broeken en kinderen in pyjama's gehuld, maar Hans was er niet bij.
We hielden krijgsraad in de tent.
„Waar kan dat kind nu zijn?" vroeg Nan ongerust, „Jetske, heeft hij tegen jou misschien iets gezegd?"
Jetske keek onnozel. „Nee..." zei ze langzaam.
„Je moet het eerlijk zeggen," ik keek haar recht en strak aan, „want als Hans alleen naar het dorp is gegaan of alleen in het bos loopt, is dat heel, heel erg gevaarlijk. Er loopt hier van alles rond."
„Hans zei," begon Jetske nu, „dat de dief weer naar de Boshut zou komen. Nu om de sleutel te stelen. En Hans zei dat de dief dat 's nachts ging doen, omdat hij de sleutel dan gemakkelijk kon pakken."
„O ja?" vroegen Nan, Jaap en ik tegelijk.
„Ja," betoogde Jetske, „want Hans zegt dat meneer Van Brandenburg de sleutel altijd in zijn broekzak heeft. Nou, en 's nachts heeft hij een pyjamabroek aan en dan ligt zijn gewone broek over een stoel naast zijn bed. Als de dief nu sluip-sluip heel zacht naar binnen weet te komen, door een raampje of zo, dan pakt hij de sleutel uit de broekzak, sluip-sluip weer naar buiten en klaar is hij! Dat zegt Hans. Ik denk dat hij nu naar de Boshut is om op de dief te wachten. Of om meneer Van

Brandenburg te waarschuwen. Ik weet het niet precies. Maar hij is naar de Boshut."
Nan, Jaap en ik hadden haar met steeds groter wordende onrust aangehoord en toen ze uitverteld was riep Jaap uit: „Ine, we moeten onmiddellijk naar de Boshut gaan!" Hij keek verwilderd om zich heen, wat moest hij pakken, wat zou hij meenemen? „In de auto ligt een zaklantaarn," schreeuwde hij, „die nemen we mee!" en hij holde naar de auto.
„Ik trek vlug m'n lange broek aan!" riep ik, want ik liep nog steeds in mijn short en de avond was koud. Ik dook de tent in.
Toen ik weer buiten kwam stond Jaap al te trappelen van ongeduld, Nan huilde zachtjes en Jetske keek van de één naar de ander alsof ze zeggen wilde: Wat maken jullie je toch druk! Jaap kuste zijn vrouw vaarwel.
„Jij blijft hier met Jetske," zei hij, hij sloeg even zijn arm beschermend om haar heen, „en maak je niet zo erg ongerust, lieveling. We vinden Hans heus wel!" Nan snikte.
„We komen gauw terug!" riep Jaap nog en toen trokken we de wildernis in, het pad zoekend achter de lichtbundel van de zaklantaarn.
We liepen zo snel mogelijk en we spraken geen woord. Het was donker en eng in het bos. Mijn hart klopte in mijn keel. Ik dacht: hoe zou het zijn om alleen in dit bos te lopen en ik greep Jaaps trui beet. „Wat is er?" fluisterde hij, want hij dacht dat ik hem geheime tekens gaf.
„Niets," siste ik terug, „maar ik ben bang."
Jaap bleef staan en keek naar me. „Je bent helemaal niet te zien," zei hij, „een zwarte broek en een zwart jack. Als je je gezicht verbergt zal niemand je ontdekken. Mocht er onraad zijn, kruip dan achter een struik en hou je stil."

„Nee, dan ga ik gillen," wilde ik zeggen, maar ik zweeg en knikte moedig naar Jaap.
Hij draaide zich om, liet de lichtbundel weer op het pad schijnen en we stapten verder. Over dode takken, die akelig kraakten en over dode bladeren, die kreunden.
„Denk aan vrolijke dingen," zei ik tegen mezelf. Dat leerde onze onderwijzer ons vroeger. Als dreigende, zwarte luchten over de stad trokken en een zwaar onweer juist boven onze school losbarstte, de regen tegen de ruiten kletterde en de donder in onze hoofden nadreunde, dan mochten we niet bij elke felle lichtflits onze gezichten in de handen verschuilen en over de banken gaan hangen. „Denk aan een weide vol boterbloemen," zei die onderwijzer, die overigens heus wel een geschikte vent was, „en voel je blij. Want zoals je denkt, kinderen, zo ben je."
„Maar als de bliksem nu eens inslaat, meneer?" vroegen we weleens. We zagen ons al argeloos in die bloemetjesweide staan, plotseling omringd door grote vuurtongen.
„Dan is het vroeg genoeg om in angst te zitten," zei de man nuchter, „bovendien zitten we rondom in de bliksemafleiders. Onze school wordt niet getroffen," en dan vertelde hij van het gevaar, buiten de stad. Vee, dat in de weide loopt, een eenzame wandelaar over een open weg, een verlaten boerderij.
Denk aan vrolijke dingen, dacht ik nu ook, want als er moeilijkheden komen is het nog vroeg genoeg om in angst te zitten.
Ik voelde me al iets opgewekter. Maar dan tobde ik: ja, maar als er nu iets gebeurt, als er plotseling een paar kerels tussen de bomen vandaan schieten en Jaap en mij beetpakken? Wat kunnen we dan beginnen? Daar moet ik over nadenken. Dat is nuttiger dan te dagdromen op deze enge avond over weidebloempjes. Als

iemand me beetpakt strek ik mijn rechterarm...
Het angstzweet begon me aan alle kanten uit te breken. Het was of ik zachte fluisterstemmen hoorde en vlak achter me een grote, ruwe hand voelde.
Jaap stapte zwijgend maar gestadig door. Ik volgde hem op de voet. Af en toe stopte Jaap even, dan knipte hij de zaklantaarn uit, zodat het aardedonker om ons heen werd en dan fluisterde hij: „Hoorde jij iets?" Mijn hart sloeg met mokerslagen. „Misschien een eekhoorntje," zei ik, „dat van een nachtelijk feestje thuiskomt," en dan knipte Jaap de lichtbundel weer aan en we stapten verder.
We naderden de Boshut. Het licht van de butagaslamp straalde door de vensters naar buiten en ik slaakte een diepe zucht van verlossing. Gelukkig, we waren er!
Ik keek even door het raam, terwijl Jaap al op de deur toesnelde. De Van Brandenburgers zaten in een ogenschijnlijk uiterste rust te lezen rondom de tafel, maar ik zag hun verschrikte gezichten toen Jaap zijn vingers langer dan hoog nodig was op de bel hield. Pa Van Brandenburg sprong op van zijn stoel en moeder en dochter blikten naar elkaar, zoals vroeger de vrouwen elkaar in wanhoop en vrees moeten hebben aangestaard als ze een ridder zonder vrees of blaam voor de poort wisten. Maar het was Jaap, die binnenkwam. „Is Hansje hier," vroeg hij zonder ook maar een blik op de huwbare dochter te werpen.
„Nee!" zeiden ze en toen stond ook ik in de kamer.
„Ine!" kreet Myra, „wat is er aan de hand? Is Hans weg? En zoeken jullie hem nu hier? Zou hij niet dichter bij de tent zijn?"
„Hans is weg," Jaap stond achter een stoel en klemde zijn lange, magere vinders om de leuning, „en volgens Jetske wilde hij vanavond naar de Boshut gaan om op de dief te wachten, die terug zou komen om de sleutel van de geldkist te stelen."

„Hij zal zich buiten verstopt hebben," zei ik, „om de dief te bespieden."
Ik nam de zaklantaarn uit Jaaps hand, stapte naar de deur en rukte hem open.
„Hansje!" riep ik luid en ik liet het licht van de zaklantaarn over het pad en de struiken rondom de Boshut dansen.
Ze kwamen allemaal naar buiten en begonnen te roepen. Maar er kwam geen antwoord en er kwam geen jongetje in een helgeel bloesje tevoorschijn. Alles was stil en donker om ons heen.

HOOFDSTUK 11

Mevrouw Van Brandenburg begon zenuwachtig te hikken. Myra zei: „Misschien wil hij niet voor de dag komen, we moeten zoeken!" en ze liep al op de struiken toe om daartussen te kijken. Ik volgde haar op de voet, de zaklantaarn in de hand. Maar ik knipte hem niet aan, omdat het licht dat uit de huiskamer van de Boshut straalde de struiken en bomen voor het huis flauw bescheen.
„Hij is hier niet," stelde Jaap vast, „anders was hij beslist op mijn roepen tevoorschijn gekomen. Ik geloof trouwens dat Hans te bang is om zo in het donker te gaan zitten. Het is ook nog maar een kind van elf jaar. Kom, Ine, we..." en hij stapte achter mevrouw en meneer Van Brandenburg aan de Boshut weer binnen om verdere mogelijkheden te bespreken.
Maar Myra en ik kropen nog tussen de struiken. Er was een smal paadje dat kronkelend tussen de bomen doorliep en dat Myra goed kende, omdat ze hier de afgelopen dagen weleens rondgezworven had.
„Stil eens," zei ze opeens, ze greep mijn arm en we stonden doodstil naast elkaar te luisteren. Myra hief heel voorzichtig haar hand en wees, schuinrechts voor ons, de duisternis in. Ik zag niet veel. Alles was zwart en de takken en bladeren leken armen en benen van spoken in de nacht. Maar er was toch in die richting een egaal zwarte vlek.
„Heel even licht," fluisterde Myra, „en dan rennen we langs het pad terug. We zijn heel dicht bij huis."
Ik hief de zaklantaarn op, hield mijn vinger dicht bij het knopje, we staarden beiden gespannen schuinrechts, toen zei ik zachtjes: „ja" en knipte het licht aan. We zagen twee figuren, diep weggedoken onder de struiken.
Ik knipte het licht uit, we keerden ons om met de snel-

heid van bromtollen die op volle toeren draaien en we renden over het pad. Op het open plekje voor de Boshut bleven we staan.
„Het waren Frank en Bob," hijgde ik, mijn hart klopte wild in mijn keel.
„Ja," Myra slikte en knikte heftig met haar hoofd, „het waren Bob en Frank. Wat moeten we doen?"
Bom-bom-bom, ik voelde het bonzen van mijn hart in mijn hoofd, mijn benen trilden en mijn ogen prikten.
„Moeten we het binnen vertellen?"
We keken elkaar even aan.
„Ze zijn nu toch al weggevlucht en onvindbaar in het bos," dacht Myra, „al zouden mijn vader en Jaap meteen gaan zoeken, ze zouden hen niet vinden."
„Nee," herhaalde ik haar woorden langzaam, „ze zouden hen niet vinden."
„Laten we maar niets zeggen," Myra greep mijn arm en we liepen naar de Boshut terug.
„Eerst moet Hans gevonden worden," zei ik, opeens weer denkend aan mijn kleine neef, die nog steeds niet terecht was, „stel je voor dat het kind in het bos verdwaald is!"
Jaap stond al in de deur.
„We gaan direct terug naar de tent, Ine," zei hij nerveus, „misschien is Hans inmiddels thuisgekomen."
De weg terug door het bos was vreselijk. Ik was nog banger dan op de tocht naar de Boshut. In de eerste plaats veronderstelden we toen, dat Hans veilig zou zijn onder de vleugelen van de familie Van Brandenburg. En ik wist toen nog niet van twee duistere figuren die door het bos slopen.
Ik hield Jaap aan zijn trui vast. We regelden onze passen, hoewel dat heel moeilijk ging op het ongelijke pad. Af en toe viel ik tegen Jaap aan. Het licht van de lantaarn danste dan angstwekkend langs de bomen.
Een enkele maal bleef Jaap, en ik dus vlak achter hem,

even staan. „Hansje!" schalde zijn stem dan door het bos, maar er kwam geen antwoord. We sjokten weer verder.
„Als hij niet in het Berenhol is moet direct de politie gewaarschuwd worden," zuchtte Jaap. Zijn passen werden groter. Ik stapte hijgend achter hem aan.
Een speurhond, vervolgde ik in gedachten Jaaps voornemen om de politie op te roepen, een speurhond die aan Hans' pyjamajasje snuffelt en dan het bos in snelt om de kleine man te vinden. Onze Hansje! Stel je voor dat het kind ergens heel alleen tussen deze donkere stammen en struiken loopt of zit! Wat zal hij in angst zitten en hoe eenzaam en verdrietig zal hij zich voelen! O, mijn vingers klemden zich om de boord van Jaaps dikke trui, laten we hem toch spoedig vinden, laten we hem ongedeerd en gezond terugvinden!
We naderden de Bosrand.
Ik zag de Muizenval, die in het donker stond te slapen. We stapten van het bospad op het gras. Het was een beetje vochtig. Er brandde een enkele lamp op de camping en we zagen de tenten als hutten van bosjesmannen naast elkaar staan te dromen in de nacht.
In het Berenhol brandde de kaars. Nan zat, gehuld in haar lange broek en dikke jack op een luchtbed te bibberen. Ze keek heel angstig naar de tentopening die Jaap openritste, maar haar gezichtje ontspande zich zodra ze ons tussen de ritshakkeltjes zag verschijnen.
„Is Hans..." vroeg Jaap en meteen zagen we hem, diep weggedoken in de geblokte deken. Rustig slapend.
We kropen naar binnen.
„Ik heb zo in angst gezeten," begon Nan direct te vertellen, ze dacht er niet eens aan dat wij ook geen prettige avond hadden gehad, „jullie waren weg en Hans was weg. Ik was zo alleen bij de tent en Jetske huilde steeds."
„Maar waar was Hans dan?" vroeg ik.

„Verdwaald in het bos. Hij wilde naar de Boshut gaan, dat was inderdaad waar, want toen hij huilend en helemaal overstuur terugkwam, begon hij toch weer over de dief, die vanavond op pad zou zijn. Hans zou naar de Boshut gaan, maar hij kon de weg niet vinden. Hij was steeds verder van de camping afgedwaald en hij wist de weg ook niet meer. Ongeveer drie kwartier nadat jullie weg waren heeft iemand uit het dorp, die Hans in het bos gevonden had, het kind teruggebracht."

„Gelukkig," zuchtte ik, „ik heb aan zulke nare dingen gedacht. Het is zo akelig in het bos als het nacht is en donker, hè Jaap?"

„Ja," beaamde Jaap, „je hoeft voor je plezier geen nachtwandeling te maken." Hij knoopte zijn sandalen los.

Ik keek de tent even rond. Nan had blijkbaar de tijd gedood met het opruimen van ons tijdelijk onderkomen. Het was er keurig. De koffer stond tegen de zijwand. Nan had er bij wijze van lopertje een gekleurde handdoek overheen gespreid en daarop prijkte nu heel gezellig ons plastic serviesgoed. De blikken en blikjes waren achter de koffer verscholen en de tassen stonden tegen elkaar aangedrukt, verstopt onder een donker badlaken.

„Heb je nog iets te eten?" vroeg Jaap, „ik rammel van de honger. En dan kruip ik op mijn luchtbed. Ik ben bekaf en ik heb het koud."

Nan zocht de trommel met chocoladerepen en ze had een rol lekkere koeken. We hapten er gretig in.

„Ine," zei Nan, ik had mijn trui al uitgetrokken en liep te zoeken naar mijn pyjama, die door de omschakeling van normaal, op het gemak ingesteld hol naar een meer gezellig tentinterieur onvindbaar was, „ik moet nog naar het toilet. Wil je even met me meegaan? Het is zo donker op de camping."

Ik trok mijn jack aan, nam de zaklantaarn van ons dressoirtje en we kropen de tent uit.
Het was heel donker op de camping. Ik liet de lichtbundel op de grond schijnen. Bij de toiletten brandde een klein lampje.
Toen we aan de terugweg begonnen zei Nan, ze liep heel langzaam: „Ik heb een vreselijke avond gehad, Ine, om nooit te vergeten. Eerst de angst om Hans en toen het kind terugkwam was hij zo overstuur. Hij huilde, snikte en hij zei maar steeds dat de dief vannacht zal komen.
Het kind heeft veel te veel gehoord. Over de tekeningen in de Muizenval bijvoorbeeld. Volgens hem steelt Frank. Hij had toch de Boshut getekend en daar was iets gestolen? En onze tent was nagetekend en... o, hij was zo bang en hij maakte mij bang en Jetske, wat is het toch vreselijk om in zo'n tent te zitten! Elk geluidje van buiten dringt tot je door en je denkt voortdurend dat je iemand hoort komen, dat er iemand om de tent sluipt." Nan zuchtte diep. „Wat vind ik het allemaal ellendig!" ging ze weer verder, „en ik dacht nog wel dat kamperen zo saai was! Dat je de hele dag niets anders had om aan te denken dan wat eten klaarmaken en je badpak uitspoelen. In plaats daarvan word je betrokken bij een diefstal, er zwerft een ongure landloper in het bos vlak naast je en er zit een vreemd individu op twintig meter afstand naar je te loeren, en je tent na te tekenen en jou ook nog."
„Ja," ik zuchtte met haar mee, „we hadden ons er niet veel van voorgesteld, maar het bleek toch nog mooier dan het nu is. Je moet maar denken: Jaap is bij ons en hij zal ons beschermen. Er kan toch niet veel gebeuren. Laten we maar vlug naar de tent gaan, Nan, dan gaan we slapen. Morgen nog, daarna is het woensdag en gaan we naar huis. Hopelijk heeft Jaap nu ook genoeg van kamperen. Je verkoopt het Berenhol en

van de zomer gaan jullie fijn naar Spanje."
Nan zuchtte. Ze slofte naast me voort.
„Slapen," zei ze mat, „ja, dan draaien de uren verder. Morgen nog," ze sprak als een kind in het ziekenhuis, „nog één dagje en we gaan naar huis."
We waren bij de tent. Ik liet het licht van de zaklantaarn op de ritssluiting schijnen.
„Ga jij maar eerst naar binnen," zei ik, „ik denk dat Jaap al..." Nan had de rits opengeschoven, maar in plaats van stilletjes en kruipend naar binnen te schuiven, vloog ze met een kreet achteruit, tegen mij en mijn lampje aan.
„O!" schreeuwde ze alleen en omdat ik daar niet zo heel veel uit begreep, duwde ik haar zachtjes opzij en loerde de tent in. Ik was gewaarschuwd, dat was een geluk, want anders was ik beslist gillend achterover geslagen van schrik.
In de tent heerste een vreselijke, een ontzettende, een onbeschrijflijke rommel. De hele koffer was leeggehaald. Badhanddoeken, hemdjes, broekjes, theedoeken, onderjurken, alles zwierf in het rond. Nans lipstick kuste de warme kaars in het blikje en de poederdoos lag er open naast. Het vlammetje weerspiegelde zich ijdel. De vuile plastickommen met restanten chocolademelk lagen in een hoek en mijn tas stond helemaal op zijn kop op mijn deken. De snorjongen uit mijn boek, voor wie ik geen tijd meer had gehad, rustte op Jetskes hoofd en mijn nylons, voor als we toch nog eens ergens netjes heen zouden gaan, slingerden om de tentstok.
„Jaap!" kreet ik. Jaap keek op. Hij maaide met zijn lange benen door en over de rommel. „Jaap, wat doe je!"
„Het geld!" riep Jaap gesmoord, „het geld is weg!"
Nan, die weer een beetje bij was gekomen en nog eens poogde, of ze sterk genoeg was om de bende te aan-

schouwen, Nan kreeg opnieuw een inzinking en viel tegen mij aan.
„Het... het geld is weg," stamelde ze.
„Denk goed na," zei ik, ik schudde haar even aan de arm, „de portefeuille zat in deze bruine tas. En nu is hij er niet meer. Heb je hem eruit gehaald en ergens anders opgeborgen?"
„Nee," zei Nan, „beslist niet."
„Is de tent een poosje verlaten geweest?" ondervroeg Jaap verder, „ik bedoel, ben je met de kinderen weggeweest? Naar het waslokaal of..."
„Nee," antwoordde Nan weer, „beslist niet. We hebben de tent niet alleen gelaten. Ik ben naar het waslokaal geweest, maar toen waren Hans en Jetske in het Berenhol."
„We moeten de kinderen wakker maken," dacht ik, „het gaat per slot van rekening om veel geld."
Ik knielde naast Hansjes luchtbed en begon zacht tegen hem te praten. „Hans, word eens wakker! Hier zijn papa en mama en tante Ine. We willen je iets vragen. Hans, hoor je me?"
Hij opende zijn ogen en keek me strak aan.
„Ben je wakker, Hans? Hoor je wel wat ik zeg? Is hier iemand geweest, toen mama naar het waslokaal ging, vanavond?"
Hij zat nu rechtop op het luchtbed.
„Nee," zei hij beslist, „er is niemand geweest."
„Maar..." ik durfde het bijna niet te zeggen, het kind zat zo slaapdronken rond te kijken, de haren warrig over zijn voorhoofd, „maar de portefeuille met het geld is weg."
Zijn ogen werden plotseling heel groot. „Die heb ik verstopt in de auto," zei hij, „onder de voorbank. Want de dief heeft de tekening en op de tekening staat de tas en..."
Jaap schoot overeind en dook naar buiten.

„We moeten bij het begin beginnen," zei ik in de tent zo kalm mogelijk tegen Nan, „eerst zetten we de koffer hier neer."
Ik schoof hem open aan de kant. Daarna haalde ik de lipstick bij de kaars vandaan. Het vlammetje protesteerde even. De poederdoos, een tube crème, haarspeldjes en krulpennetjes, alles ging weer in Nans toilettas. Hemdjes werden opgevouwen en in de koffer geborgen, badpakken, handdoeken, theedoeken, dikke truien, een onderrok en nog veel meer legden we weer op stapeltjes.
De jongen uit Verona droomde in mijn tas verder en de kommen, vuil en kleverig van de chocolade, rolden we door een klein kiertje van de rits naar buiten.
Na een kwartier hard werken was de tent weer ruim.
„Mag ik binnenkomen?" vroeg Jaap zacht achter de ritssluiting, „ik word zo koud."
Hij hield de portefeuille in de hand. Ik keek nog even naar buiten. Alles was stil en donker om ons heen. De Muizenval was niet te zien in de duisternis. Het was kwart over twee in de nacht.
Ik haalde mijn tas overhoop om schone sokken te zoeken, want mijn voeten bengelden als ijsklompjes onder aan mijn benen en ik wilde met sokken aan in de deken kruipen. Ik trok ook een warme trui aan over mijn pyjamajas en kroop onder de blokken.
Jaap blies de kaars uit. Daar lagen we weer in het donker. De nachtwind was opgestoken en deed het tentzeil bollen. De noklat kreunde zachtjes.
Ik keek in het duister. Ik dacht aan de tocht naar de Boshut en aan het moment waarop Myra en ik de twee zwarte figuren onder de struiken hadden ontdekt.
Mijn hart begon weer sneller te slaan bij de herinnering aan de angst van dat ogenblik.
En hadden we, vroeg ik me nu af, niet moeten vertellen dat we de jongens uit de Muizenval in het bos

zagen, sluipend rond de Boshut?
Ik draaide me om. Je moet nu zo moedig en eerlijk zijn, sprak ik mezelf toe, om te bekennen dat Frank wel degelijk een duister plan koestert. Waarom sluipt hij anders zo laat in de avond in het bos rond?
Ik zag zijn bruine ogen voor me. En ik wist dat ik niets tegen meneer Van Brandenburg en tegen Jaap had willen zeggen om Frank te sparen. Om nog maar steeds hoop te hebben, dat het niet waar was,dat er geen gemene bedoelingen bestonden rondom de tekeningen, dat de geldkist uit de Boshut niet was gestolen door...
Ik droomde van een grote politieauto die met gierende claxons het kampeerterrein kwam opstuiven. Het terrein was in mijn droom kleiner en groener. De auto hield voor onze tent stil. Mannen, helemaal in het zwart, sprongen uit de wagen, stormden het Berenhol binnen en grepen me vast.
„Maar ik heb niets gedaan!" riep ik nog, maar ze trokken me mee. Ze zeiden: „Je hebt wel wat gedaan! Je wist van de diefstal en je hebt niets gezegd. Dat is gemeen, dat is vals en je bent strafbaar. Vooruit!" en ze duwden me de wit-zwarte auto in.
Ik werd met hoofdpijn en prikvoeten wakker.
Morgenochtend ga ik direct naar het politiebureau, dacht ik en die gedachte stelde me gerust.

HOOFDSTUK 12

Jaap en Nan wilden de volgende morgen eigenlijk wel eventjes langer blijven slapen, maar Jetske ontwaakte al voor dag en dauw. Ze begon Hans wakker te schudden, daarna tetterde ze zo hard in Jaaps oor: „Goedemorgen, pappa! Goedemorgen, pappa!" dat hij overeind vloog en meteen begon te schelden.
Nan ontwaakte door al dat lawaai. „Ine, wat is er aan de hand?" vroeg ze slaperig.
„Je man en je kinderen verstoren de stilte," zei ik.
„O," antwoordde Nan alleen. Ze vond het zeker geen verontrustende gedachte. Ze sliep weer in.
Maar Jetske gunde ons geen rust. „Het is ochtend," zong ze, „de zon schijnt en we moeten uit bed. Zal ik thee zetten en eieren koken?" Ze glipte in haar pyjama over de luchtbedden en kroop naar de rits.
„Jaap, het kind speelt met vuur," kreet Nan, „ga er heen!"
Jaap zuchtte in zijn deken.
Jetske had inmiddels de ritssluiting bereikt.
„Ik ga me eerst maar wassen," deelde ze nu mee en wij sloten dankbaar onze ogen. We hoorden de rits kreunen en we dachten: ziezo, daar gaat ze, toen haar heldere stem plotseling losbarstte in een heerlijke jubel.
„Tante Myra! Tante Myra!" schreeuwde ze.
Ik schoot overeind op het luchtbed, trok aan de wollen trui en het flanellen pyjamajasje, die op een wurgende manier om me heen kronkelden en staarde naar buiten. Voor de tent zat, gekleed, gekamd en met grote ogen… Myra.
„Goedemorgen," riep ze, „kom vlug, ik heb zoveel te vertellen!"
Maar hoe kon ik nu buiten verschijnen!
„Kom jij maar binnen," zei ik dan ook. Myra kroop de tent in.

Nan zat rechtop op haar luchtbed. Ze droeg een tricot pyjamabloesje dat te wijd was geworden en in haar hals wiebelden kleine krulpennetjes. Ze keek slaperig. Jaap leunde met 'n gezicht van 'het zal wel niet veel bijzonders zijn, allemaal vrouwenpraat' op zijn elleboog en keek verveeld.
„De schatkist is terug!" kreet Myra nu, ze kon zich niet langer beheersen.
„Nee!" riepen wij allemaal verbaasd uit, maar Myra knikte met haar hoofd. En ze straalde. „Ja hoor, hij is terug! Echt waar!"
„Hoe kan dat nu? Waar was hij en wie heeft hem gevonden?" riepen we door elkaar. Hans was uit zijn deken gekropen en zat vlak voor Myra aan haar knieën. En Myra begon te vertellen. „Gisteren zijn Bob en Frank, de jongens uit de Muizenval," dit tegen Jaap en Nan, die, naar ze dacht, misschien niet zo direct op de vroege morgen zouden weten wie Bob en Frank nu wel waren, „op zoek gegaan naar de man, de landloper, de vagebond, die ik in het bos had ontmoet.
Ze vonden hem en volgden hem. Hij zwierf bijna de hele middag en avond door het bos en over de heide. Hij ging niet naar een hutje of een onderdak. Hij at in de openlucht zijn brood, dat hij in een rode zakdoek had geknoopt en hij dronk iets uit een fles. Frank zei dat het water was, maar Bob dacht aan witte wijn. Of bier.
Toen het donker werd ging hij in de richting van de Boshut. Hij bleef in de omgeving ronddwalen. Bob en Frank verscholen zich in de struiken om hem gade te slaan. Het werd later en later, ze hadden geen brood of iets eetbaars bij zich en ze zaten maar onder de struiken. Want de zwerver bleef er ook rustig zitten.
Maar toen kwamen Jaap en Ine met een zaklantaarn, mijn vader en moeder en ik kwamen naar buiten en kennelijk werd het de schurk te heet onder de voeten

en vertrouwde hij al die aandacht voor de bosjes in de omgeving van het huisje niet. Zodra wij naar binnen waren gegaan is hij gevlucht."
We luisterden vol belangstelling.
Nan knikte steeds ja en ze zei: „Hoe is het mogelijk."
De krulspeldjes in haar hals knikten mee. Jaap keek zeer geïnteresseerd en Hans hing bijna letterlijk aan Myra's lippen.
„Bob en Frank volgden hem. Door het bos en over de heide tot aan een heel oude, vervallen schuur. Daar verdween die vent in. Bob heeft toen de wacht gehouden bij de schuur en Frank is naar Dwingelo gegaan om de politie te waarschuwen."
„Dat was nog een heel eind lopen," merkte Jaap op en Myra zei: „Ja, ze hebben er veel voor over gehad om ons geldkistje terug te vinden. Het zijn heel aardige jongens."
Ik grijnsde naar haar. „Met een agent van politie is Frank teruggereden naar de schuur en inderdaad, onze schatkist was daar!" riep Myra nu enthousiast uit als de toneelspeelster die de clou van het verhaal vertelt, terwijl ze weet dat de hele zaal al van de afloop op de hoogte is, „hij stond verborgen onder een stapel oude zakken, in een hoek van de schuur. De politie heeft die kerel meteen meegenomen, zodat Dwingelo nu van deze landloper bevrijd is."
We riepen „Wat heerlijk!" en „Wat enig!" Myra straalde. Ze knikte heftig met haar hoofdje en zei ze verrukt: „En nu vragen mijn vader en moeder, of jullie allemaal naar de Boshut willen komen om het feest te vieren. Moeder zal een grote pot koffie zetten en er is wijn in huis en vruchtensap. Vader is naar het dorp om gebakjes te halen. Vader trakteert, want hij is zo blij, omdat de kist met Sint-Joris en de draak terug is! Bob en Frank komen ook!" jubelde ze.
„Laten we ons vlug gaan kleden," begon Nan ons nu op

te jagen, „Hans, ren naar het waslokaal en Jetske, doe niet zo mal!"
Maar Jetske danste op haar luchtbed, ze veerde bijna tot aan de noklat en riep: „We gaan naar de Boshut en we krijgen gebak!"
Myra liep met me mee naar het waslokaal. Ze droeg mijn toilettas.
Het was gelukkig rustig bij de kranen. Terwijl het water over m'n gezicht stroomde en omlaag spetterde in de wasbak, zei Myra: „Wat een geluk, hè, dat we gisteravond niets gezegd hebben, toen we Bob en Frank ontdekten. Dan was hun hele plan om die vagebond te volgen mislukt."
„Ja," zei ik, ik droogde me af, „en misschien waren Bob en Frank dan nog opgepakt, omdat ze zo in de nacht rondom het huisje slopen. Ik geloof dat jouw vader hen onmiddellijk aan de politie had overgeleverd."
Myra knikte. Ze keek toe hoe ik de tandpastatube bijna leeg kneep over m'n tandenborstel.
„Ik vind het heerlijk," zei ze, toen ik verwoed over m'n tanden roste, m'n mond vol schuim, „dat Bob geen verkeerde bedoelingen had. Ik vind het een heel aardige jongen. Hij is het type, waarvan ik altijd gedroomd heb."
Ik stikte bijna in de tandpasta.
„Ben je," ik spoelde wild met het steenkoude water, „ben je verliefd op hem?"
„Ja," bekende Myra. Ze keerde mijn toilettas om en om in haar handen. „Ik vind het een bijzonder aardige jongen. Als die tekeningen er niet waren..."
Ik draaide de kraan dicht, droogde mijn handen af en keek haar recht aan.
„We moeten zo spoedig mogelijk aan de weet zien te komen, wat er nu precies aan de hand is met die tekeningen."
„Ja, maar hoe komen we daar nu achter!" zuchtte

Myra. Ze had mijn toilettas opengemaakt en zocht een haarkam en mijn poederdoos.
„We moeten zoeken, speuren, al de handelingen van Frank en Bob goed volgen. En misschien is het Frank alleen, van wie de plannen uitgaan. Bob vroeg over 'je plan', niet over 'ons plan'. Misschien weet hij er wel van, maar steunt en helpt hij Frank niet. We moeten het vandaag nog weten, want morgenochtend gaan we weg. Wij, en jullie ook. Stel je voor dat Bob voor jou de juiste man is en dat jij voor hem de juiste vrouw..."
„Och," viel Myra me in de rede, ze werd helemaal rood, „zover is het nog lang niet, maar toch..."
Toen we weer bij het Berenhol kwamen was men daar juist aan een staand-ontbijt begonnen. Jaap stond voor de tent en hapte in een snee brood met kaas, Hans leunde tegen de auto en kauwde, Jetske hipte van het ene been op het andere. Brood met chocolade in de hand. Het hagelde naar alle kanten.
„Kijk," zei Nan, „ik maak het brood klaar boven een schone theedoek. Die klop ik straks uit en nu hoeven we geen bordjes en messen af te wassen. Eén mes maar. En we hebben melk gedronken uit een kroes."
„Melk? Krijgen we geen kommetje thee?" vroeg ik, „daar snak ik 's morgens naar. En juist als je uit bent, met vakantie, zorgeloos kunt genieten word je de ochtendthee onthouden!"
„Je krijgt straks koffie," troostte Myra me, „ga je mee, Bob zit voor de Muizenval. Laten we even gaan vragen of ze met ons meegaan naar de Boshut."
We stapten over het gras. Bob zat voor de tent en schilde aardappelen.
„Goedemorgen," begroette hij ons.
„Goedemorgen," zeiden wij ook en ik vroeg: „Is Frank er niet?"
„Nee, die is even weggegaan. Gaan jullie toch zitten."
We lieten ons in het gras zakken.

„Waar is hij naartoe?" vroeg Myra. Bob keek haar even aan. „O, dat weet ik niet," zei hij dan.
„Vertelt hij jou, zijn vriend, dat niet?" vroegen wij verbaasd. Maar Bob meende: „Och nee, dat is toch niet nodig! Hij moest even ergens naartoe, hij is op de scooter gestapt en weggereden."
Myra knikte heel ernstig.
„Weet je," zei ze dan, „ik word dikwijls geleid door mijn intuïtie, mijn voorgevoelens, ingevingen, die dikwijls fantastisch juist zijn."
Bob keek haar hevig geïnteresseerd aan.
„Gaat er ook een belletje klingelen als je denkt aan mij en aan je toekomst?" vroeg hij.
Myra bloosde. „We hebben het nu niet over jou," antwoordde ze, „mijn gedachten gaan uit naar Frank."
„Maar Frank..." begon Bob, dan zweeg hij en keek Myra vragend aan.
„Er is iets met Frank," vervolgde ze met het vuur van een inspecteur van politie, die meent een smokkelaarsbende op het spoor te zijn, „er klopt iets niet. In zijn optreden en handelingen zijn bepaalde raadselachtige dingen en ik heb een akelig voorgevoel, dat er iets niet goed is."
Bob keek vol belangstelling van Myra naar mij.
„Ik zou het heel prettig vinden," zei hij, „als je me wilde vertellen wat er precies aan de hand is."
„Ken je Frank goed?" begon Myra hem meteen te ondervragen, „ik bedoel: ben je een losse vriend van hem, zie je hem zo af en toe eens of is het een hechte vriendschap? Zodat je alles van elkaar weet?"
„Het is een hechte vriendschap," sprak Bob zonder aarzelen.
„O," Myra knikte en observeerde hem. Hij keek haar met zijn blauwe ogen recht en zonder knipperen aan.
„Weet je, Bob," zei ze dan op een meer vertrouwelijke toon, ik denk dat ze na een blik in zijn ogen zeker wist,

dat hij betrouwbaar was, hoewel ze dat aan de hand van haar voorgevoelens ook al ontdekt had, ze zei: „Frank heeft tekeningen in zijn tent. Tekeningen van de tent van de familie Gravensteyn en hij heeft een tekening van Ine."
'O, o!" Bob floot tussen zijn tanden, dan boog hij zich een weinig voorover, keek ons strak aan en zei: „Zijn jullie in zijn Muizenval geweest? Dat is verboden. Iemands bezittingen doorzoeken zonder politietoestemming mag niet."
„Ja, dat weten we," gaf ik hem direct toe, „maar wij hebben het ook eigenlijk niet gedaan. Hans is ermee begonnen. Hij hoorde dat wij over Frank spraken en dat we het zo vreselijk toevallig vonden, dat hij juist nu, nu wij hier zijn, ook op deze camping komt staan. Hans heeft daar heel veel achter gezocht en als een kleine speurder is hij gaan zoeken. In Franks tentje vond hij een tekening van alle dingen die zich in onze tent bevonden. Het hele interieur van het Berenhol. Dat gaf ons te denken."
Bob keek me stak aan. „Ja, ja..." zei hij een beetje afwezig, alsof hij diep nadacht.
„We hebben er nog weleens over gepraat, samen," vervolgde Myra, „en gisteren hebben we eens in de Muizenval gekeken. Toen lagen er vier tekeningen. Onder andere één van de Boshut. We brachten dit nog in verband met de diefstal van de Sint-Joriskist, maar we weten nu, dat Frank daaraan niet schuldig is."
Bob grijnsde. „Verdenk hem niet van medeplichtigheid met die zwerver," zei hij, „we hebben nog kramp in onze voeten en kuiten van het sluipen en het hurken. En als ik denk aan de honger..."
„We zijn jullie ook vreselijk dankbaar," begon Myra weer vol geluk, nu ze dacht aan de schatkist op het schatkistkastje, „maar Bob, vind jij het ook niet gek: een tekening van onze Boshut in zijn tentje? En... en er

was ook een tekening van Ine in de Muizenval!" bracht ze er als een triomf achteraan.
Bob keek ons even verbaasd aan, maar toen hij zijn mond opende om iets te zeggen, hoorden we een scooter over het gras knorrend naderbij komen.
„We zullen het zelf wel uitzoeken," siste Myra in Bobs oor, hij dook verschrikt in het gras, maar ze boog zich verder naar hem over en siste nog: „Maar je mag wel helpen."
„O, graag, heel graag," Bob veerde dankbaar overeind. Myra bloosde.
„Ik moet mijn haar nog even kammen," ik sprong overeind, Frank had zijn scooter onder de bomen gereden en stapte naderbij, „dag Frank, gaan jullie mee naar de Boshut? Daar is koffie en gebak."
Myra en ik liepen naast elkaar over de camping.
„Ik geloof dat ik echt verliefd op Bob ben." Myra maakte kleine danspasjes naast me, „en hij vindt mij ook aardig, geloof je niet?"
„Hij had het tenminste over klingelende belletjes," ik zwaaide met mijn toilettas, „en over jouw toekomst."
We trokken het bos in. Jetske huppelde vooruit. Jaap liep heel voorzichtig, omdat Hans als een jonge hond om zijn benen dartelde. Achter hen liep Nan en achter Nan liepen Frank en ik. Het pad was smal en eigenlijk konden we niet naast elkaar lopen. Maar Frank probeerde het. We stapten nu op ietwat schuine zijkanten van het pad.
„Fijn voor de familie Van Brandenburg, hè, dat de geldkist terug is," begon hij naast me.
„Ja, heerlijk," zei ik. Achter ons tetterde Myra: „Ik heb er altijd van gedroomd met een detective te trouwen. Of met iemand van de recherche. Een speurder naar onrecht en leed. Een echte, flinke man, die nergens bang voor is. En die mij van al zijn spannende avonturen vertelt."

„Gaan jullie morgen weer naar huis?” vroeg Frank.
„Ja.” Ik zuchtte.
„Als je belooft met mij te trouwen, koop ik van nu af aan elke week een detectiveroman voor je,” zei Bob achter ons. Ik keek even om. Ze liepen naast elkaar op het smalle pad. Vlak naast elkaar.
„Wanneer beginnen je lessen weer?” vroeg Frank. Hij luisterde ook naar het gesprek achter ons.
„Donderdag,” antwoordde ik.
„...kopen we later een grote boekenkast,” zei Bob, „en die komt vol boeken. Onver speurders en lijken en moorden en ontdekkingen en die kun je dan heerlijk bij de warme kachel lezen. Rillen van angst achter gesloten ramen en deuren, bibberen van ellende in een gemakkelijke stoel, griezelen van afschuw aan mijn voeten, meisje, dat is toch veel heerlijker dan de vrouw van een detective te zijn en tot diep in de nacht op zijn terugkeer te moeten wachten? Waar is hij? Is hij in gevaar? Is hij in nood?”
Frank keek naar mij en grijnsde. Ik grijnsde terug.
We waren bij de Boshut. Mevrouw Van Brandenburg verwelkomde ons als een goede gastvrouw heel hartelijk in de deuropening en we dromden naar binnen. Het hele huisje was in een paar minuten vol gelach en geluid.
We dronken twee grote potten koffie leeg en aten alle gebakjes op. Meneer Van Brandenburg zat met de geldkist voor zich op tafel en wij streken even liefkozend over Sint-Joris en de draak met de geopende bek en we huldigden Frank en Bob om hun geduld, de vagebond te blijven volgen, hun moedig, sluipend en kruipend optreden en hun uiteindelijke overwinning op de zwerver.
Om twaalf uur zei Jetske: „Wat eten we straks, mam?”
Nan was vol en zoet van de koffie en het gebak en een maaltijd uit blik lokte haar nu niet bepaald aan.

„Och, kind," zei ze een beetje vermoeid en toen riep mevrouw Van Brandenburg: „Blijft u allemaal in de Boshut eten! Ik heb sla en boontjes, een kist vol aardappelen en een pan met runderlapjes. Myra is de laatste dagen zo dikwijls bij u geweest, komt u nu eens bij ons! Wij dachten dat Myra achter Joris aanzat, maar..."
„Moeder bedoelt Joris van de draak," fluisterde Myra naar Bob, die al vragend opkeek.
„Hè ja, mams," Jetske danste om de tafel, de vloer golfde, „laten we hier blijven eten!"
„Ik ben de moeder van de jeugdherberg," benoemde mevrouw Van Brandenburg zichzelf, „alle mannen moeten aardappelen schillen. Onder de kraan staat een emmer. En in het achterhokje is een kist vol aardappelen."
„Er zijn geen mesjes genoeg," hoopte Frank, „zal ik voor de deur op wacht gaan zitten om te kijken of er nog zwervers komen om uw schatkist te stelen?"
„Nee, niets ervan," ik nam hem bij de arm en voerde 'm keukenwaarts, „je bent zo handig, dat hebben we al glurende naar de Muizenval wel ontdekt. Jij kunt wel aardappelen schillen. En anders moet je het leren, want als je later trouwt met een meisje dat het verafschuwt, dan..."
Frank grijnsde.
„Zal ik aan de sla beginnen, mevrouw Van Brandenburg?" vroeg Nan, „het is eigenlijk veel te erg en geen manier om met zoveel mensen onverwachts bij iemand te gaan eten. Hoeveel kroppen zullen we nodig hebben? En waarin zal ik de sla spoelen?"
„In het Dwingelose zwembad," zei Hans.
Het werd een dolle maaltijd. We zaten elleboog aan elleboog rondom de tafel. Op stoelen en krukjes. We lachten en praatten en we voelden ons uitgelaten en blij. Bob en Myra knipoogde voortdurend naar elkaar.

HOOFDSTUK 13

In de middag zaten we voor de tent. We hadden eerst de hele troep in de Boshut afgewassen. Mevrouw Van Brandenburg stond aan de waskom, Bob, Frank en Jaap droogden af, Nan en ik pakten elk droog artikel aan en zetten het op de huiskamertafel, we renden heen en weer, en Myra en haar vader zorgden dat borden, schalen en pannen weer opgeborgen werden. Alles verdween in kastjes en kasten.
Toen trokken we terug naar de camping. Myra ging met ons mee. En daar zaten we, een beetje moe en sloom in de zon voor het Berenhol.
Bob en Frank waren naar de Muizenval gegaan. Bob lag languit in het gras te slapen. Frank was in zijn tentje.
„Het is heerlijk," begon Nan, „dat de schatkist in de Boshut terug is en het pleit voor de jongens van de Muizenval, dat zij hem opgespoord hebben, maar het raadsel van de tekeningen blijft."
„We moeten het oplossen," Jaap keek vastberaden, „ik ga hier niet vandaan voordat ik weet wat er met die jongens en die tekeningen aan de hand is." Hij strengelde zijn lange vingers ineen. Myra keek naar hem. Nan staarde naar de grond. Hans trok aan de grassprietjes om hem heen. Hij had Jetske naar de kranen gestuurd met een zanderig emmertje. Dat moest ze omspoelen. Hij zei doodleuk: „We moeten Bob en Frank in ons Berenhol lokken, hen vastbinden en dan dat tentje doorzoeken."
„Mijn kind!" kreet Nan verschrikt. „Er vaart een misdadige geest in hem!" en dan viel ze uit tegen Jaap: „Jij met dat nare, akelige, ellendige kamperen! Hij moest aardappelen leren schillen en weet ik wat nog meer, maar in plaats daarvan praat hij over iemand vastbinden en iemands bezittingen doorzoeken en..."

„Ik wilde een man van hem maken," zei Jaap schuldbewust, „maar ik ben het doel voorbijgestreefd, het is een kerel geworden."
„Ja, dat kan wel zijn," teemde Nan, „maar..."
„Mam!" krijste toen een gillend, hoog stemmetje over de camping, „mam!'
„Jetske in nood!" riep Nan, ze sprong op en rende naar het kind, dat huilend en strompelend naderbij kwam. Ze had haar blote voetje bezeerd aan een steen op de camping. Het bloed liep als een rood lintje op het groene gras.
We bogen ons allen troostend en zorgelijk over haar heen. Bob was ontwaakt door de kreten. Frank kroop uit de Muizenval en ze kwamen naar de plek des onheils.
„Hier, een flinke snee en een schaafwond," zei Frank, hij hield Jetskes voetje in zijn hand, „het moet goed afgewassen worden en dan zullen we er wat Nestozyzalf opsmeren."
„O, eh," zei Nan, ze kreeg een kleur, „wij zijn zo onverwachts en overhaast vertrokken, we hebben geen verbanddoos meegenomen."
Frank haalde zalf, verband en pleister uit de Muizenval. Het zat allemaal keurig verpakt in een klein, roodwit trommeltje.
„Wil jij koffie zetten, Ine?" vroeg Nan, „mijn hart klopt in mijn keel van de schrik. Doet je voetje nog pijn, lieve schat?"
De koffie was vlug gezet. Myra ontdeed de kommen met kokend water van mieren en grassprietjes, ik haalde de suikerbus uit de tent en de melkfles en na vijf minuten konden we inschenken. Jetske leunde tegen Nan aan, Hans keek met wakkere ogen naar Frank en wij praatten heel genoeglijk met elkaar. Over de jongens in het bos en hun spel met de vergulde kist, over de zwerver en de echte schatkist, over de kerk in het

dorp, het hotel en het ijs dat men daar...
„IJs!" riep Jetske. „O, mammie, ik wil ijs eten!"
„Zullen we even met de kinderen naar het dorp rijden?" stelde Jaap voor. „Gaan jullie ook mee?" Hij blikte uitnodigend naar Frank en Bob. „Dan drinken we een glaasje wijn of een biertje. Gaan de dames," Jaap keek met ogen als knipperlichten naar Myra en mij, „ook mee?"
„Ik ben er niet op gekleed," ik wees op mijn shorts, en Myra, die de opzet ook zonder waarschuwingssignalen onmiddellijk door had, zei: „Ik blijf bij Ine. Gaan jullie maar even. Voorzichtig met je voetje, Jetske."
Nan moest eerst haar haren nog kammen en haar neus poederen, Hans had een vuile snoet en Jetske hinkte naar het toilet, maar na een kwartiertje zat het hele gezelschap toch in de auto en door ons nagezwaaid alsof ze voor drie weken eropuit trokken, reden ze langzaam de camping af.
„Kom vlug," siste Myra toen de auto achter de struiken verdwenen was, „we moeten de hele Muizenval doorzoeken."
We holden over het gras en knielden bij het tentje neer. De rits schoof gewillig open. Myra kroop het eerst naar binnen.
„Voorzichtig," zei ze, „er mag niets veranderen in de tent. We mogen niets op een andere plaats leggen. Hij moet niet kunnen zien dat er iemand in zijn tent is geweest."
Myra strekte haar handen uit. „Hier," zei ze, ze betaste een stapeltje textiel alsof ze verwachtte dat er elk moment iets engs onder vandaan zou schieten, „handdoeken en een zwembroek. Er zit niets tussen. Niet iets hards. Een revolver of zo. Er naast nu. Dit is een doos."
Het was een flinke, kartonnen doos. We haalden het deksel eraf. Levensmiddelen. Een busje oploskoffie,

een rol koeken, een blik worstjes. Niets bijzonders.
„Hier is een tas!" riep Myra blij, ze tilde een zwaar ding in triomf van de grond, dan liet ze er teleurgesteld op volgen, „maar hij is op slot. We kunnen hem niet openmaken. En wie weet wat er in deze tas zit!" We keken er spijtig naar.
„En hier... hier zijn de tekeningen!" gilde ik bijna. „O, kom eens gauw kijken, Myra, hier zit ik voor ons Berenhol!"
Ik hield het witte vel tekenpapier met de koolzwarte lijntjes in mijn trillende handen. Het waren maar een paar lijnen, maar ik was het beslist. En eronder stond, met potlood geschreven... ze keek me met boze ogen aan.
„Myra, wat betekent dit?" riep ik uit.
„Ik weet het niet. Vlug verder zoeken." Myra greep naar de andere tekeningen. Ze lagen onder de slaapzak. Het meer met de bosjes, de Boshut. „En hier, dit is die tekening van jou," Myra duwde hem in mijn handen, „maar nu staat er iets onder!"
We bogen ons over de tekening en we lazen... het meisje, waarop ik de eerste maal dat ik haar ontmoette, verliefd werd.
We keken elkaar met grote ogen aan. We zaten op onze knieën op het grijze grondzeil van de Muizenval en het licht viel schemerig-geel door het tentdoek naar binnen.
„Ine," stamelde Myra, „wat... wat betekent dit?"
„Ik weet het niet," moest ik wel zeggen en ik las nog eens: het meisje waarop ik de eerste maal dat ik haar ontmoette, verliefd werd.
We bleven een paar minuten sprakeloos op de grond zitten. Ik keek maar steeds naar mijn potloodlijnengezicht en naar de woorden die eronder stonden.
„Laten we maar teruggaan naar het Berenhol," stelde Myra voor, „we kunnen hier niet iets vinden wat op-

windender is dan dit. We leggen alles weer precies zo neer als het lag."
We schoven de tekeningen op elkaar en legden ze onder de slaapzak. We kropen naar buiten. Myra deed de rits dicht. Ik was nog te veel in trance om ook maar iets te kunnen doen. Mijn gedachten tolden om de woorden op het vel tekenpapier. Het meisje, had Frank geschreven, waarop ik verliefd werd!
We slenterden heel langzaam terug naar het Berenhol en lieten ons in het gras onder de luifel vallen.
„Hij is verliefd op je," zei Myra alsof dat de gewoonste zaak van de wereld was, „en daarom tekende hij je na."
Ik knikte slechts.
Myra kamde haar haren en bekeek haar neus in het spiegeltje van mijn poederdoos.
„We hebben veel beleefd in deze dagen," zei ze, ze poederde haar neus met zorg, „en ik ben blij dat ik Bob ontmoet heb. Wij houden van elkaar. Hij heeft zulke prachtige blauwe ogen, heb je daar weleens op gelet? En ik weet zeker, Ine, wat er ook verkeerd is aan Frank, Bob staat erbuiten. Hij is eerlijk en betrouwbaar."
Ik knikte weer.
We zaten een paar minuten zwijgend naast elkaar. Myra's neusje had de hele behandeling moedig doorstaan. Ze sloot de poederdoos.
„Frank heeft het Berenhol getekend en dat heeft betrekking op jou," zei ze nadenkend, „maar waarom tekende hij de Boshut? En het meer met de struiken? En de bosjes?"
Ik wist het ook niet.

De auto reed onder luid claxongeloei de camping op.
„We hebben zo'n glas vol ijs en lekkere dingen gehad!" juichte Jetske, „en mijn voet doet niet meer pijn!"

Wij lachten om haar. Frank en Bob bleven nog even bij het Berenhol staan praten, dan stapten ze over de camping naar de Muizenval. Ik durfde bijna niet naar Frank te kijken. Hij was zo groot en knap, mijn hart klopte in mijn keel: hij was verliefd op me!! Hij had me getekend, mijn ogen, mijn neus, mijn mond en hij had naar de tekening zitten staren en eronder geschreven, dat hij verliefd op me was!
„Komen jullie even binnen," riep Nan, „we gaan het menu samenstellen. Hans, haal jij eerst een jerrycan water en Jetske, blijf maar buiten. Ga met je voet in de zon zitten, dan wordt het gauw beter."
In het Berenhol fluisterde ik: „We hebben de hele Muizenval doorzocht. Er was een zware tas, een koffer bijna, maar hij was gesloten. We konden hem niet openen."
Jaap en Nan knikten begrijpend.
„En we hebben de tekeningen gezien," ging Myra nu met het verslag van onze speurtocht verder, ze liet haar stem tot een geheimzinnige diepte dalen, Nan en Jaap bogen zich naar haar over om haar beter te kunnen verstaan, „we vonden de tekening van Ine. Er stond nu iets onder."
Jaap keek haar recht aan. Nu zou de ontknoping volgen. Nan vroeg natuurlijk al ongeduldig: „Wat stond eronder?" Myra's ogen flitsten even van de één naar de ander. „Er stond onder," zei ze langzaam, „het meisje waarop ik verliefd ben."
„Nee!" kreet Nan, ze sloeg een weinig achterover en keek me ontzet aan, „hoe kan dat nou?"
„Ik weet het ook niet," ik boog schuldbewust het hoofd, „ik..."
„Ik kan het niet begrijpen," zuchtte Nan, „en ik vind het zo raar. Toen Jaap destijds van me was gaan houden schreef hij dat niet op een vel papier. Hij zei het me gewoon."

„Frank heeft een romantische inslag," verdedigde ik hem.
„Hij tekent in elk geval voortreffelijk," stelde Myra vast, „er is geen twijfel mogelijk, het meisje op de tekening is Ine. Het is heel knap gedaan. Werkelijk voortreffelijk."
„Dan is Frank een artiest," constateerde Jaap, „een tekenaar, een schilder misschien. Hij tekende de Boshut ook zo goed, zeiden jullie dat niet en was er ook niet een tekening van een meer? Een meer met groen gekleurd water?"
„Ja, Frank moet een tekenaar zijn," dat dacht Nan nu ook, „hij is naar hier gekomen om rustig te kunnen tekenen. Een meer, een huis, een tent, een meisje..."
„Maar," vroeg ik vol bange voorgevoelens, „waarom schreef hij er dan iets onder?"
„Ine!" Myra sprong overeind, ze sloeg bijna door het tentdoek heen, ze keek me verwilderd aan, „er was nog een tekening waar jij op afgebeeld was en daarop stond: ze keek me met boze ogen aan."
„Wat!" riep Nan en Jaap vroeg ook: „Wat betekent dat?"
We wisten het geen van allen. Ik voelde me wee worden vanbinnen. Een onbestemd gevoel van onbehagen en onzekerheid bekroop me.
„We moeten het uitzoeken," Jaap stapelde het restant van onze blikvoorraad op elkaar. Er waren niet zoveel blikjes meer. Morgenochtend gingen we naar huis. Dan hadden we geen tomatensoep met balletjes meer nodig en geen gehaktballen in goudgele jus. Dan kookte Nan weer op haar witte fornuis en ik ging naar school. Met de tram.
Dan waren deze dagen voorbij. Deze dagen vol verandering en afwisseling, deze dagen met Frank.
En zouden we dan nog niet weten, welke duistere handen hem naar Dwingelo hadden doen gaan? Waarom hij tekeningen maakte van allerlei dingen in deze

omgeving? De Boshut en het Berenhol, een meer tussen struiken en mij?
„Hebben jullie zin in kippensoep?” drong Jaaps stem van heel ver tot me door, „dan rijst met kippenvlees en een gebakken eitje toe?”
We knikten alle drie gelaten. Het kon ons helemaal niet schelen. Al kregen we vandaag geen eten!
„Ik ga er met Bob over praten,” besliste Myra, „Bob is mijn vriend. Gisteravond nog heeft hij gezegd dat hij nooit een meisje als ik ben heeft ontmoet. En dat hij hoopte dat wij elkaar nog heel dikwijls zouden zien.
Hij wil het volgende weekend al in de stad komen. Paps en mams vinden het goed, want ze zeggen dat Bob een aardige jongen is. En zo moedig en hulpvaardig.
Vind je niet dat ik hem onze problemen kan voorleggen? Ik lok hem gewoon uit de Muizenval en dan vraag ik het hem.”
„Och,” weifelden we nog, maar eigenlijk was er geen andere oplossing. We wilden weten wat er aan de hand was en de tijd drong. We knikten alle drie.
„Met vrouwelijke list,” dacht Jaap.
„Gewoon, open en eerlijk,” zei ik en Nan zeurde: „omdat er ook iets verkeerds achter kan zitten, nietwaar?”
Myra stapte over het grasveld. Bob lag al snakkend naar haar uit te zien. Hij sprong op toen ze met flinke, vastberaden passen op hem toe stapte en we zagen vanuit het Berenhol zijn ogen lachen.
Ze gingen naast elkaar in het gras zitten. Haar blote elleboog steunde op zijn spijkerbroekknie. Haar sandalenvoeten lagen naast zijn blote tenen in het groen.

HOOFDSTUK 14

Nog voor de soep op het gaspitje warm was kwamen ze naar het Berenhol, Myra, Bob en Frank.
„Ik heb alles verteld," begon Myra en Frank zei; „O, als ik het maar geweten had! Als ik maar had kunnen denken dat Hans in mijn tentje was geweest en dat hij de tekening van de Berenholbuik, zoals ik de plaat noem, had gezien. En dat jullie daarover zijn gaan denken en puzzelen."
Hij was op de grond gaan zitten. Voor het Berenhol. We schoven in een kring om hem heen. Hans was juist, zeulend met de jerrycan vol water, gearriveerd en Jetske begon het verband van haar voetje los te peuteren. Bob en Myra zaten naast elkaar. Als gezworen kameraden.
„Ik zal precies vertellen wat er aan de hand is," begon Frank, hij keek de kring rond als de onderwijzer die tijdens een excursie door het duingebied zijn kinderen om zich heen verzameld om hen op de konijnenholletjes en de helmaanplanting te wijzen, wij luisterden, als die kinderen, met opgeheven gezichten. Frank vervolgde: „Ik ben journalist en ik wilde eens een artikel schrijven over een tent. Dat lijkt jou natuurlijk niets, Nan, dat zie ik aan je gezicht, maar het is heus wel interessant.
Het model van zo'n tent wordt geboren in het brein van een tentenbouwer. Hij tekent op de tekentafel. Breedte, hoogte enzovoorts, enzovoorts.
Als het patroon gereed is en goed bevonden, gaat het ontwerp naar het atelier. Daar is het opeens geen eenling meer. Nee, daar worden tientallen, soms honderdtallen van hetzelfde model gesneden. Het is heus heel interessant. Ik heb het allemaal met belangstelling gevolgd en ik heb mijn ogen uitgekeken. Grote stapels luifels en zijwanden. Mannen en vrouwen werken

daaraan. Snijden en knippen en dan begint het naaien. De dikke, stugge stof, het sterke garen, de stevige ritssluitingen. Grote machines, die ratelen en steunen. Zo komt de tent tot werkelijkheid."
We keken naar hem op als die leerlingen tijdens de excursie. Vol belangstelling.
„En dan begint de volgende fase," vertelde Frank onderhoudend verder, „de verkoop. Na de productie van de tent moet de verkoop volgen. Er wordt reclame gemaakt in verschillende bladen, zoals de Kampeerkampioen en Eropuit en de tent wordt tentoongesteld op shows. Ook op een grote show, zoals Goed Kamp in de RAI"
We knikten.
„Nu had ik voor mijn reportage het Berenhol uitgezocht, omdat ik dit zo'n kloeke, gezellige tent vind. Ik had gezien hoe hij op de tekentafel uit de gedachten van de ontwerper werd geboren, hoe hij in de fabriek groeide en nu zou ik meegaan naar de RAI, om hem aan het publiek voorgesteld te zien.
Naar de RAI dus. Voordat de officiële opening begon was er het uitzoeken van de beschikbare standruimte, passen en meten en het opbouwen van de tenten. Daarna de gesprekken met de verkopers, in dienst van de andere tentenleveranciers. Hun meningen over het Berenhol en hun gedachten over de andere exemplaren op de show, het is allemaal heel interessant."
Jaap zei: „Inderdaad, ik zou graag eens een kijkje willen nemen achter de schermen." Nan knikte. „Maar ik zie liever een meubelbeurs," zei ze. Myra glimlachte naar Bob en ik keek naar Frank. Naar zijn ogen, die me aankeken, zijn mond en zijn handen.
„Dan gaat het tentoonstellingsgebouw voor het publiek open," ging Frank verder, „de mensen stromen de hallen binnen. En ze bekijken de tent. Ons Berenhol.

Je hoort zoveel verschillende meningen. Enthousiaste jongens en kritische ouderen. De een vindt het doek te donker en de ander zegt dat dit nu eens een ideale kleur is. De een vindt het Berenhol te laag en de ander jubelt dat dit nu juist eens een prachtige hoogte is voor een tent. Dat alles wilde ik in mijn reportages verwerken."
„Ja, ja," zei Jaap en Nan knikte weer.
„Het was voor mij zeer eenvoudig, want mijn oom produceert en verkoopt tenten, zodat ik in zijn atelier alles rustig kon bekijken en opschrijven. En mijn neef ging als standhouder naar de RAI
Het wachten was nu op de koper van het Berenhol, want daarmee wilde ik mijn reportage besluiten. Ik had er al een schets van gemaakt. De tent, opgerold in de kitbag, die de fabriek verlaat. Een nieuw leven tegemoet!"
Wij knikten allemaal, want we vonden het een passend slot voor een reportage.
„Ik verwachtte dat de toekomstige eigenaars van het Berenhol een paar jonge, energieke jongens zouden zijn, die de tent meesleepten op een trektocht door Europa of zo. Maar wie schetst mijn verbazing, toen een leuk, vlot gezin, met in hun midden een schat van een meisje, het Berenhol ging kopen? Ik was onmiddellijk verliefd op dat meisje. Die eerste avond in de RAI"
Frank keek naar me en ik sloeg mijn ogen neer.
Om me heen braken de reacties los. „Zie je wel," riep Nan, „ik heb het direct tegen Jaap gezegd, diezelfde avond al, toen we thuis waren. Wat keek die jongen naar Ine, merkte ik op, maar Jaap zocht er natuurlijk niets achter. Ine is een aardig meisje om te zien, zei hij en elke man kijkt daar graag even naar."
Myra jubelde: „O, liefde op het eerste gezicht, wat heerlijk! Mijn moeder zegt altijd dat dat niet bestaat.

Die praat maar over groeien uit vriendschap en beminnen om karaktertrekken en zo. Maar nu weet ik, dat het wel bestaat! O, Bob, hield jij ook direct van me?"
„Nog voor ik je zag," zei Bob, „ik hoorde je stem en ik wist: zij en geen ander." Myra keek hem stralend aan.
„En toen, oom Frank?" vroeg Hans.
„Ik had, zoals ik al zei, gedacht het artikel met de verkoop van de tent te besluiten," vertelde Frank verder, „maar het meisje met de blauwgroene ogen wilde niet meer uit mijn gedachten gaan. Daarom vroeg ik mijn neef, dat is dus die jongen met dat baardje op Goed Kamp, toch alsjeblieft aan de weet proberen te komen waar het Berenhol voor de eerste maal zou worden opgezet.
Dat was niet zo moeilijk. Jaap belde naar het kantoor over extra scheerlijnen, Joop hoorde daarvan, nam contact met je op en omdat wij beiden vorig jaar deze rustige camping hadden ontdekt, raadde hij aan hierheen te gaan."
Frank keek het kringetje rond. Wij knikten. Tot zover konden we het verhaal wel volgen.
„Ik pakte dus mijn Muizenval, zocht de nodige kampeerspullen bij elkaar, bond alles achter op de scooter en reed naar Dwingelo. Ik had het Berenhol spoedig gevonden en zette mijn tentje op hetzelfde stukje grond op. Het was al laat en het was bijna donker op de camping. Ik ging naar buiten in de hoop nog een glimp van Ine op te kunnen vangen."
„Hoe is het mogelijk!" riep Nan, „en wij dachten dat jij heel toevallig..." Ze schudde langzaam haar hoofd en keek naar hem.
„En toen, oom Frank?" vroeg Hans weer.
„Een journalist blijft een journalist, jongen," sprak Frank met stemverheffing, „hij kijkt om zich heen en denkt: zou daar geen stukje in zitten? En eigenlijk was ik heel nieuwsgierig hoe jullie zouden kamperen. Op

Goed Kamp sprak Nan zo stoer over op de grond zitten en eten uit een pannetje. Ik wilde dat wel eens zien: misschien zat er een reportage in!"
„Nee!" riep Nan uit. Ze zag zich al in zwarte lijnen in het één of ander blad staan. 'De vrouw boog zich over het grondzeil en begon kruimels op te dweilen...'
„Jaap kwam naar buiten en nodigde me in het Berenhol. En toen ik weer in de Muizenval kwam heb ik het interieur nagetekend. Omdat ik het zo vreselijk gezellig vond in jullie tent. Alle tassen en de blikvoorraad naast elkaar gezet tegen de zijwanden, de mensen in een kring op de grond. Hans en Jetske in hun dekens gerold. Een zak met pinda's en flesjes sinaasappelsap. Het was vreselijk gezellig en ik was zo blij dat ik weer in Ine's omgeving was. Ik heb tot laat in de nacht zitten tekenen en schrijven. Bij een olielampje."
„Wij hebben het lichtje gezien," Jaap knikte, „en wij hebben met elkaar besproken dat het toch wonderlijk was, dat de jongeman, die wij op Goed Kamp ontmoetten, juist toen, op die avond voor de pinksterdagen, met zijn tentje naar deze camping kwam. Dat vonden we vreemd, heel vreemd."
Frank knikte.
„Wij dachten," vertelde Nan nu, „dat Hans die avond sliep, maar dat was niet zo. Hij deed alsof. Hij hoorde hoe wij over jou praatten en hij heeft daarover nagedacht.
De volgende morgen ging hij op onderzoek uit. Wij wisten er heus niets van, want dan was het beslist niet gebeurd, maar Hans is je tent binnengeslopen en hij zag toen een tekening waarop alle, alle dingen die in ons Berenhol waren, stonden aangegeven. Dat vonden wij merkwaardig, dat kun je je toch wel indenken?"
„O ja," gaf Frank toe, „maar ik wist van Hansjes speurtocht natuurlijk niets af. Ik was die morgen naar De blauwe meren gereden om een tekening te maken voor

een artikel over Drenthe, waaraan ik werkte."
„De blauwe meren?" vroegen wij.
„Ja. Die liggen een kilometer of zes ten noorden van Dwingelo midden in de zandgrond en de bosjes. Het zijn kunstmatige meren, maar het is er erg mooi."
Myra en ik knikten. „We hebben de tekening gezien," zeiden we.
„Zo, zo," sprak Frank.
„En in die nacht werd de koperen kist uit de Boshut gestolen," Nan sprak als een volleerd actrice.
„Ja," ik veerde overeind om nu ook eens iets te zeggen, „Myra en ik ontmoetten elkaar in het noodweer in het bos. We zaten samen in de Boshut, terwijl boven ons de donder rolde en het licht flitste en toen zei Myra dat hun geldkist gestolen was. Een prachtige, koperen kist. En ik vertelde dat er de vorige avond heel laat nog iemand op de camping was gekomen. In het donker. Met een klein tentje."
„We gooiden alle gebeurtenissen bij elkaar," nam Myra het verhaal over, „en we dachten dat jij weleens meer van die diefstal kon weten."
„We keurden je geen blik meer waardig," ik keek hem nog streng aan.
„Nee, Ine, geen blik," moest Frank treurig toegeven, „ik begreep het allemaal niet, want ik wist niets van een diefstal in de Boshut en ik wist ook niet dat Hans mijn tentje was binnengegaan en dat hij de tekening had gezien.
In mijn wanhoop belde ik Bob. Bob is mijn vriend. Help me! riep ik in de hoorn, want ik ben zo vreselijk verliefd, maar het meisje van mijn dromen wil niets, niets van me weten."
„Ja, dat zei hij," Bob glimlachte, „en omdat Frank nog nooit zo in de put had gezeten, pakte ik onmiddellijk mijn zondagse schoenen uit de kast en mijn autootje uit de garage en reed naar Dwingelo."

„Bob is een fantastische jongen," prees Frank zijn vriend, „hij stapt overal op af en hij vindt altijd een oplossing. Hij kwam direct uit Haarlem om mij te helpen."
„In mijn autootje heb ik me, voor zover het verkeer dat toeliet, voorbereid op de zware taak die me zou wachten. Want Frank en een hopeloze liefde, Frank en wanhopig in de put zitten over een meisje, dat zijn toch dingen waarvoor men niet in een paar minuten een oplossing vindt. Ook al is men zo vindingrijk als ik. En, bedacht ik, zou er met hem te praten zijn, verstandig te praten? Over de vele honderden meisjes die nog als bloemen ronddwalen over de aarde en dat hij die ene gewoon moest vergeten, gewoon wandelen laten en zijn aandacht op een nieuw object vestigen? Och, die logica begrijpen verliefde mensen niet." Bob zuchtte.
„Terwijl jij daar in je autootje zo over tobde," maakte Frank een einde aan de bespiegelingen, „en ik voor mijn Muizenval zat te verlangen naar Ine, kwam er een jongen uit het bos en die jongen droeg een kistje. Een met goudpapier beplakt kistje."
„Ja," vulde ik nu zelf maar aan, „en ik was zo vreselijk nieuwsgierig, dat ik alles om me heen vergat en op jou toestapte om te weten wat er in dat kistje zat."
„Ik kwam dan, gebukt onder zorgen en medeleven met mijn vriend, de camping opsjokken," Bob boog zich over het gras, „ik verwachtte hem zo niet snikkend, dan toch wel bedroefd aan te treffen, maar wat zie ik: Frank, vrolijk en lachend in het gezelschap van twee bijzonder leuke, mooie en aardige meisjes."
Myra en ik namen de hulde in ontvangst.
„Och, en de rest weten jullie," zei Frank, „Myra vertelde over een landloper in het bos en Bob en ik besloten hem te gaan zoeken. En tussen dat alles door werkte ik aan mijn reportage over de Berenholfamilie. Ik tekende Ine, voor mij de hoofdpersoon in het verhaal en in

mijn leven, ik legde haar gezichtje op mijn luchtbedkussen en keek er dikwijls naar. Ik tekende de Boshut, omdat ze daarheen in de regen en wind was gevlucht. En ik schreef over jullie maaltijden en de tentindeling."
„Maar ik wil niet, Frank van Wissen," begon ik, „dat je dit artikel ooit..."
„Nee, lieveling, zoet maar," Frank greep mijn hand en hield die even vast, „deze reportage zal nooit verkocht worden. Die bewaar ik heel zuinig. Die berg ik..."
„Jaap!" kreet Nan toen, „de soep!" Ze vlogen allebei naar het soeppannetje dat op een toch heel laag gaspitje stond, maar waarin de soep op een vreselijke manier stond aan te branden. De zachtgele massa, het was iets van gebonden kippensoep, borrelde over de rand, gleed stinkend langs de gasvlam en viel kledderig in het gras.
„We krijgen niets warms meer te eten vandaag," zei ze, „de soep is verkookt en het pannetje is bedorven."
Het drong bijna niet tot me door. Ik zat nog steeds een beetje wezenloos voor me uit te staren. Ik kon het geheel nog niet bevatten. Frank zat naast me en hield mijn hand vast.
Ik had hem die eerste avond in de RAI zo aardig gevonden, hij had zulke mooie, donkere ogen en hij lachte zo innemend, maar kort na onze hernieuwde kennismaking op de camping was ik anders over hem gaan denken. Hij was een ietwat verdacht persoon, wij vertrouwden hem niet en ik probeerde terstond alle nobele gedachten uit mijn hoofd te verbannen. En nu was opeens alles voorbij, alles was weer goed! Frank was een heel normale jongen. Hij was journalist, hij schreef artikelen en tekende er enorm goede schetsen bij en... hij was verliefd op mij!
Nee, ik kon het allemaal nog steeds niet verwerken en ik staarde voor me uit. Naast me meierde Nan maar door over het bedorven soeppannetje en de zo langza-

merhand uitgeputte soepblikvoorraad.
Myra's hoofd hing tegen Bobs schouder. Hij streelde haar haren. Frank keek naar mij en glimlachte.
„Laten we naar het dorp gaan," begon Jaap en ik kreeg onmiddellijk visioenen van keurig gedekte tafels met witte servetten en glanzend bestek, warme soep in goudomrande borden, aangeschoven zachte, heerlijk zittende stoelen en ik riep: „Hè ja!"
„Dan vieren we onze vriendschap," zei Frank, „Myra en Bob en Ine en ik. We gaan heerlijk eten en dan nemen we een glas wijn en de kinderen krijgen ijs met slagroom!"
„Maar ze moeten aangekleed worden," begon Nan al onder stoom te komen, „en Ine, jij moet ook een jurk aan. En heb je nylons meegenomen? Jaap, op die vuile sandalen..."
We trokken in twee auto's naar het dorp. Ik zat naast Frank achter in Bobs wagentje. Frank hield zijn arm om me heen geslagen en ik voelde me gelukkig.
Ik keek even door het zijraampje naar de tent. Het Berenhol stond eenzaam, zonder bewaking in de snel vallende duisternis. Een niet meer zo schone theedoek fladderde uitgelaten aan een scheerlijn.
We aten zalig, we praatten gezellig en we hadden een heerlijke avond. Jetske mikte haar soepkom over de tafel en een kelner snelde naderbij met een theedoek en Hans zat te worstelen met zijn ijs. Hij kon het bijna niet op, maar vond het ook zonde om het te laten staan.
Laat in de avond brachten we Myra naar de Boshut. Ze liep, naast Bob, voor ons op het bospad. Haar hoofdje was heel dicht bij zijn hoofd. We zagen het, als de maan nieuwsgierig en onbeschaamd tussen de bomen doorkeek en hen in zijn lichtstralen gevangen hield.
Frank kneep even in mijn arm. „Ik durfde werkelijk niet meer te hopen, Ineke," zei hij, „dat het goed tussen

ons zou worden. Dat ik toch in deze pinksterdagen nog in de gelegenheid zou zijn om jou te vertellen hoe lief ik je vind. Ja, ik heb het aan het papier toevertrouwd, ik heb geschreven dat je een schat van een meisje bent en ik heb je nagetekend om naar je te kunnen kijken, 's avonds, bij mijn kleine olielampje. Maar om met jou in het maanlicht te dwalen en je te kunnen zeggen: ik hou van je, dat is toch veel, veel fijner. Ik ben zo gelukkig, Ine. Zou jij met mij ook gelukkig kunnen zijn?"
„Ja Frank," hakkelde ik zachtjes, „ik geloof het wel."

In de Boshut brandde het licht nog en mevrouw en meneer Van Brandenburg ontvingen ons in de deur.
„Het is al zo laat," begon mevrouw, maar Myra barstte los: „Het was zo'n heerlijke avond, mams! We hebben gegeten in Dwingelo en we hebben wijn gedronken. O, al zal het nooit tot een huwelijk komen tussen Bob en mij, dan hebben we in elk geval een afwisselende, enige pinkstervakantie gehad!"
„Myra," begon Bob bestraffend, „en vanavond zei je nog, dat je met mij..."
„Och," zei ik, „dat heeft ze in de eerste klas ook aan een jongetje beloofd. En toen meende ze het echt, want ze vond het een aardig jongetje."
„Drie kussen voor straf," stelde Bob vast, maar Myra dook vliegensvlug onder zijn arm door en rende om de tafel.
„En het komt alles nog," zei ze, toen ze even later hijgend en blazend naast Bob aan de tafel zat, „door Sint-Joris en de draak. Want als het kistje niet gestolen was, waren vader en moeder op die regenmiddag niet samen naar het dorp gegaan. Dan hadden Ine en ik elkaar niet verteld over een vreemde jongen op de camping en een gestolen kist en..."
„We moeten Sint-Joris eren," vond Bob ook. Hij nam de koperen kist van het kastje en plaatste hem op de tafel.

„Hij is zwaar," zei hij, „zit er zoveel geld in? Is het heus een schatkist, meneer Van Brandenburg?"
„Nee jongen," antwoordde meneer Van Brandenburg, „geld zit er niet in de kist. Maar er zit wel een schat in."
We stonden om de tafel en keken hoe meneer Van Brandenburg het sleuteltje uit zijn broekzak haalde, het in het slot stak en het deksel losdraaide. Toen legde meneer Van Brandenburg zijn hand op Joris en de draak.
„Ik zal het kistje openen," zei hij, „en dan mag Bob zeggen of er inderdaad een schat in zit."
Hij lichtte het deksel op. Bob keek. „Ja, het is een schat!" riep hij uit en toen wij ons ook vooroverbogen om in het kistje te kijken, zagen we twee grote, lachende ogen, die ons stralend aankeken. Een prachtige kleurenfoto van Myra lag op de bodem van de kist.

HOOFDSTUK 15

De volgende morgen heel vroeg, onwijs vroeg, schutterde Jaap al door de tent. Nan, de kinderen en ik lagen nog heerlijk te slapen, want het was gisteravond laat geworden. Heel laat en we vonden dat we daarom vanmorgen wel even langer mochten blijven liggen. Maar Jaap dacht daar anders over.
„Kom uit je deken," riep hij, hij vouwde zijn blokken met veel stofverplaatsing en gezwaai op, „dan zijn we heerlijk vroeg. We pakken de boel in en gaan weg."
„Je bent mal," murmelde Nan zachtjes onder haar deken, ze geeuwde, „geen gehaast en geen drukte nu. We zijn aan het kamperen. We doen alles kalm aan. Het is nog beestachtig vroeg. En dit is de eerste nacht die ik zonder angst en beven in deze tent heb doorgebracht. Ik heb heerlijk geslapen en ik wil lekker uitdommelen." Ze rolde zich met deken en al op haar andere zijde en sloot haar ogen weer.
„Maar we hebben heus wel anderhalf uur werk om alles in te pakken." Jaap had zijn dekens opgevouwen. Hij zat er nu bovenop te wiebelen. „En dan het aankleden en ontbijten nog."
„Zeur niet zo, Jaap," begon ik nu met één oog open Nan te helpen, „als we om negen uur opstaan zijn we om tien uur schoongewassen en behoorlijk gevoederd. Elf uur is alles ingepakt. Wim en jij deden het tenslotte vroeger in tien minuten, hoog uit een kwartier. Nu, dan rijden we om elf uur weg."
„Ja, maar," Jaap liet zich op zijn knieën zakken, kroop naar mijn luchtbed toe en zei aan mijn oor: „Maar Frank wil met ons mee. Hij wil langs je vader en moeder om kennis te maken."
Ik schoot overeind.
„En ik had gedacht," ging Jaap zeer zoetsappig verder, hij voelde dat hij terrein begon te winnen, „als we op

tijd weg zijn en we rijden naar Wijdenes..."
„Ja, dat is leuk," Nan zat nu ook rechtop, ze geeuwde en wreef in haar ogen, „ja, we gaan vlug opschieten en dan gaan we naar vader en moeder. Jetske, Hans," ze rekte zich ver uit en schudde de dekenbobbels, „opschieten! We gaan naar opa en oma!"
„En mag ik opa vertellen van die tekeningen in het bostentje? En dat we eerst dachten dat het een schurk was?"
„Wie is er een schurk?" vroeg Jetske, „oom Frank toch niet? Dat mag je niet tegen oma zeggen, hoor! Want oma wil niet dat tante Ine hand in hand met een schurk loopt."
We lachten. We gooiden de dekens van ons af en stapten op het koude grondzeil.
„Zet jij thee, Jaap," begon Nan het werk te regelen, „en als er nog eieren zijn bak je die. En als het brood erg hard is moet het ook opgebakken worden. Een paar plakjes in een beetje melk leggen, wat boter in de pan smelten en een beetje bruin laten worden, daarna het brood erin doen. Met suiker erop is het heus lekker."
Ze nam haar toilettas onder de arm en wandelde zacht neuriënd over de camping. Het einde van de kampeermarteling was nu in zicht. Straks heerlijk alles in de koffer mikken, de tent afbreken en in de bagageruimte bergen en dan gingen we fijn naar Wijdenes! Nan jubelde over het gras.
Frank had zijn tentje helemaal leeg gehaald.
„Je kunt wel bij ons ontbijten," Jaap stond naast hem neer te zien op dozen en tassen, „en als je sommige dingen niet op de scooter kunt bergen, dan kunnen wij ze nog wel in de auto hebben."
„Mijn tas graag," zei Frank, „met mijn papieren en de map met de tekeningen. Dat is altijd heel moeilijk te vervoeren. Het is zo groot en het mag niet vouwen of nat worden."

Ik liep naar het waslokaal. Achter me zongen Hans en Jetske een schoolliedje, Jaap en Frank stonden nog bij het bostentje en over het kampeerterrein verspreidde zich de geur van iets dat stond aan te branden. Het was Jaaps gebakken brood.
We aten in het Berenhol, want het was fris buiten. Donkere, grijze wolken dreven over de bomen en het korenveld en de wind rukte aan de luifel. Er stonden nu niet zoveel tenten meer op de camping. Gisteravond hadden velen al hun vrijheid op moeten geven, omdat vandaag het kantoor of de fabriek weer wachtte.
Ik rilde.
„Heb je het koud?" vroeg Frank bezorgd, „je loopt ook nog op blote voeten in die slippers. Goede kampeerders kleden zich naar het weer. Dikke, wollen sokken moet je nu aantrekken en een warme trui."
„Straks in de auto heb ik het niet koud meer," zei ik, „rij jij op de scooter achter ons aan?"
„Ja. We zullen elkaar weleens uit het oog verliezen, want de wagen gaat natuurlijk veel sneller dan mijn scooter, maar Jaap heeft beloofd af en toe even op me te wachten."
Toen we de tent op het grasveld uitgespreid hadden kwamen Myra en Bob aangewandeld. Bobs arm om haar middel geslagen, haar hoofdje tegen zijn schouder geleund.
„We zijn zo gelukkig, Ine," vertelde Myra me. Ik boog juist diep over het grondzeil om het zo rimpelvrij mogelijk te strijken, „ik hou zoveel van Bob."
„Dat zie ik," zei ik. Er zat een dikke, zwarte tor op het tentdoek. Ik sloeg hem krachtig weg. Myra sprong opzij.
„Ja. En ik heb er nog eens over nagedacht, maar het is, zoals Bob onlangs zei," ze boog zich naast me over het uitgestreken tentdoek, „de vrouw van een

detective leidt een zenuwachtig bestaan."
„Dat geloof ik ook wel. Detectives zijn bij nacht en ontij van huis en dan zitten hun echtgenotes wachtend achter de vensters uit te kijken. Pak die slip eens. Nee, deze kant op vouwen."
„Bob is verkoper. Hij reist in hout. Dik hout en dun hout en mahoniehout."
„Dat is een rustig bestaan," dacht ik.
De tent was opgevouwen. Jaap wrong hem met behulp van Bob en Frank in de kitbag.
Nan bewaakte Jetske en Hans, opdat ze schoon zouden blijven tot de minuut van het vertrek.
Eindelijk was alles ingepakt. De auto stond als een beladen muilezel geduldig op het pad te wachten. Jaap ging naar de kampvader om afscheid te nemen en de kosten te betalen.
Toen drukten we Myra en Bob de hand. Myra duwde me een wit velletje papier waarop haar adres in krullige letters stond geschreven, in de hand. „We moeten elkaar veel schrijven," zei ze een beetje ontroerd, „we hebben samen zulke spannende dagen doorgemaakt en jij weet precies, hoe Bob en ik elkaar hebben leren kennen. Dat is de basis van onze vriendschap."
„Nee," meende ik, „mijn natte kleren en jouw droge hemdje, dat was het begin."
Maar Myra vond de ontmoeting met Bob een romantischer ondergrond.
„Ik schrijf je deze week nog," beloofde ze, „wanneer we naar huis zijn gegaan, of ik bij Bob in de auto mocht zitten of dat ik achter in paps wagen moest blijven en over onze eerste afspraak na de vakantie.
Schrijf jij me ook vlug? Ik wil weten, wat je vader en moeder van Frank zeggen. Misschien vinden ze hem wel niet zo sympathiek. Hij is een beetje donker, zo..."
Frank deed een uitval in haar richting.
„Bob heeft een veel vriendelijker uitdrukking," ging

Myra onverdroten verder, „hij is blond en dat toont."
„We moeten instappen," Jaap maakte vlot een einde aan de nodeloze discussie, „we hebben nog een hele rit. Myra, het was me een waar genoegen met jou kennis te maken. Je doorzettingsvermogen, je ijver..."
We reden, nagewuifd door Bob, Myra en de kampvader, de camping af. Ik lag op mijn knieën op de achterbank en zwaaide met twee handen voor het lage achterraampje. Naast me zwengelden de armen van Hans en Jetske.
„Dag tante Myra!" gilde Jetske, „mag ik eens bij u logeren in de Boshut? Wilt u dat aan uw moeder vragen? Dag oom Bob, wilt u het aan tante Myra's moeder vragen, als tante Myra het vergeet? Van dat logeren?"
„Schreeuw niet zo," berispte Nan, „tante Myra verstaat geen woord meer van wat je zegt."
Achter onze auto reed Frank. Ik zag de glimlach om zijn mond. Zijn ogen keken naar me en lachten. Zijn handen omklemden het stuur van de scooter stevig.
In een klein restaurant in Friesland dronken we koffie en daarna ging het weer verder. Over de afsluitdijk, door de Wieringermeer naar Hoorn. Nog een klein stukje en toen lag Wijdenes groen en lieflijk voor ons. De weg kronkelde langs royale huizen en mooie tuinen en daar was het huisje van vader en moeder al.
„Kunnen we zo binnenstappen?" vroeg Nan, „met Frank bedoel ik. Of zou de schok te groot zijn?"
„Waarom een schok? En waarom te groot?" Jaap stuurde behendig langs een paar spelende kinderen. „Frank is 'n vriend van jou en van mij en van Ine. Je moet hem niet direct als de verloofde van Ine voorstellen."
„Nee, nee, alsjeblieft niet," zei ik, „gewoon, een vriend."
Het was alsof moeder op de uitkijk had gestaan (even later bleek dat ze ons inderdaad verwacht had) want twee tellen nadat Jaap de auto in de berm had gepar-

keerd, stond ze al op het tegelpaadje voor het huis.
„Gelukkig," zei ze, „jullie zijn allemaal nog heel en gezond. En lekker bruin zelfs. Dag schatten!" Dit laatste tot Hans en Jetske, die oma in hun uitbundige omhelzing bijna omver wierpen.
„Kom vlug binnen. De koffie is klaar. Ik zei al tegen vader: ze komen wel langs vandaag. Na vier dagen kruipen in zo'n tent vinden ze het heerlijk het ding af te kunnen breken. Kijk, daar komt iemand op een scooter. Hij stopt. Och Jaap, sta jij die meneer even te woord."
„Hij is een vriend van ons," zei Nan nu, „we hebben hem op de camping in Dwingelo ontmoet. Dag Frank!" Ze liep al op hem toe en wachtte tot hij van de scooter geklommen was.
„Dit is Frank van Wissen, moeder," stelde ik hem toen midden op de Wijdenesser verkeersweg aan moeder voor, „Frank, dit is mijn moeder."
Moeder keek hem even scherp aan.
Het was thuis zoals altijd. Gezellig, genoeglijk, echt thuis.
Het theeblad met de bloemetjeskopjes stond op de tafel. De koffiepot pruttelde onder een rode keukenhanddoek en boven op een helder waxinelichtje. Zonder die keukendoek op het deksel bleef de koffie niet heet genoeg, zei moeder altijd, en lauwe koffie is niet lekker.
Vader zat in zijn stoel voor het raam. Vanaf zijn plaatsje kon hij een heel eind de weg afkijken. Tot de kromming in de verte. En niets, wat er op dit stuk asfalt en op de paden naar de huizen en tuinderijen gebeurde, ontging hem. Vader ontving Frank met een stevige handdruk en een vriendelijke glimlach. We schoven om de tafel. Moeder schonk koffie en Hans en Jetske vertelden honderd uit over onze tent. Over het noodweer, dat boven het bos losbarstte en waarin tante Ine,

helemaal alleen, onder de druipende bomen liep.
„Maar kind," riep moeder uit, „hoe krijg je het in je hoofd om heel alleen in een bos te gaan wandelen! En dat je er geen erg in had dat het zulk slecht weer werd."
„Ik zat te lezen," zei ik timide.
Ik vertelde van mijn ontmoeting met Myra.
„En daar was een geldkist uit het huis gestolen!" riep Hans enthousiast en hij vertelde met glanzende ogen van de gestolen kist, de jongens in het bos en van het zoeken.
Moeder schudde haar hoofd. „Kinderen, kinderen," zei ze, „jullie hebt wat beleefd!"
„O, er is nog veel meer gebeurd!" riep Hans uit, maar voor hij kon gaan uitweiden over de gedachte in het tentje, zei Nan: „Hans, hou jij je mond nu even dicht. De grote mensen komen niet aan praten toe."
Hans zweeg gehoorzaam. Jetske was al van haar stoel gegleden en naar de tuin verdwenen. Hans volgde haar nu. We hoorden hen buiten gillen en joelen.
„En hebben jullie elkaar," vader knikte toch wel een beetje opmerkelijk van Frank naar mij, „ook op dat kampeerterrein ontmoet?"
„Ja," zei ik, „Franks tent stond dicht bij ons Berenhol."
„Zo, zo," zei vader en daarmee was het onderwerp afgehandeld.
Na de koffie wandelden Frank en ik even naar de dijk. Frank nam mijn arm en trok die door de zijne. Ik voelde hoe de buren ons vanachter de gordijntjes gadesloegen.
„Kijk, Ine Scholten loopt ook met een jongen," zouden ze tegen elkaar zeggen.
Op de dijk was het stil. Er stond een stevige wind en de golven klotsten donker tegen de grote keien op. We liepen, dicht naast elkaar en zonder veel te spreken, tot de kromming in de dijk.

Dit alles is nu alweer een week of zes geleden. Het was Pinksteren, toen, het was eind mei en nu is het volop zomer.
Ik zit op mijn kamer bij Nan en Jaap. Want ik woon bij hen sinds vader en moeder zich in Wijdenes hebben teruggetrokken. Omdat moeder zo van de stilte houdt en vader meer dan genoeg had van het lawaai in Amsterdam
Ja, het is nu zomer. De dag is bijna ten einde, de zon is allang achter de huizenblokken weggedoken, maar de warmte hangt nog in de kamers.
Ik heb de ramen wijd open geschoven en kijk naar buiten. Naar de pinkelende lichtjes in de straten en de lichtkransen boven de daken.
Zo-even is Frank geweest. Op de scooter.
We zaten in diepe, gemakkelijke stoelen en praatten en lachten met elkaar. Opeens vroeg Frank: „En, wat zijn jullie voor de komende vakantie van plan?"
Nan en Jaap zwegen beiden.
Het was voor het eerst sinds de pinksterdagen dat het woord vakantie zo luid werd uitgesproken in dit huis. Want Jaap wilde niet praten over een tent, een kampeerterrein en een slaapzak en Nan zei niets over een hotel, een groot meer en een zacht bed.
En nu begon Frank... Ik zag Nan luisteren bij het doorgeefluik. Met gespitste oren.
„Och," zei Jaap, hij vouwde zijn lange benen, „ik geloof niet dat Nan nu zo bijzonder van kamperen houdt."
„Nee," riep Nan door het luik, „ik ga nooit, nooit meer in een tent!"
„En toen in de RAI," begon Frank, hij draaide zich verbaasd naar het doorgeefluik, „toen was je zo enthousiast! Het buiten-zijn, de rust, de natuur..."
„Daar meende ik niets van," bekende Nan nu, ze leunde op de inschenkklep, „Jaap wilde zo graag kamperen en daarom zei ik dat ik het ook zo fijn vond. Maar het

is helemaal niet waar. Ik vind het vreselijk! Dat gekruip over de grond, die beestjes over de vloer en dat behelpen met alles, bah!"
„En jij, Ine," Frank keek me vol bange voorgevoelens aan. Ik kon hem niet teleurstellen. En had de tent, ons Berenhol, mij geen geluk gebracht? „Ik vind kamperen heerlijk!" zei ik daarom.
„Als jullie je nu snel gaan verloven," jubelde Jaap , hij keek ons blij aan, „dan krijgen jullie van ons het Berenhol als verlovingsgeschenk. Is dat geen prachtig cadeau voor later?!"
„Fantastisch!" riepen Frank en ik tegelijk en Frank zei: „Dan schrijf ik nog een stukje aan mijn Berenhol-artikel: wie had nu kunnen denken dat het zo zou aflopen!"
Hij legde zijn hand op mijn hand en keek me stralend aan.